JN073641

磯 直道

連句への招待

歌仙実作入門

東京教学社

目次

挿絵　三笑亭笑三

はじめに

さあ、連句（れんく）を楽しみましょう。

「連句って何？」この疑問はこの本を読んでゆくうちにおいおいわかることでしょう。簡単にいうと、俳句と同じ五・七・五文字（五音七音五音）の句と七・七文字（七音七音）の句を交互に繋げていって、その結果出来上がった一つの詩を連句といいます。

たとえば、本書の挿絵をかいて下さった三笑亭笑三師匠に

米の値は米をつくらぬ人がきめ（五七五）

という面白い句があります。それに私は

阿呆阿呆と鴉笑いて（七七）

と付けてみました。

連句には独吟といって、一人で作る方法もありますが、これは全く特別な作り方で、普通は気の合ったメンバーで作り上げる詩なのです。そこで連句は座の文芸などといわれています。

じつは、俳句も川柳も連句から生まれたのです。連句の一番始めの句は、発句といって五七五の形です。それが後に一句の詩として独立して俳句となりました。よく芭蕉の俳句などといいますが、これは正確ではありません。例えば、有名な

古池や蛙飛び込む水の音

という句に、芭蕉の愛弟子の其角が

芦のわか葉にかかる蛛の巣

という七七の句を付けています。古い池に蛙が飛び込んだ水音、ふと見るとその池の端の芦の新芽に蜘蛛の巣がかかっている、という二句の構成なのです。つまり芭蕉は俳句を作っていたのではなく、発句を作っていたのです。ちなみに、其角の句のように、前の句（前句といいます）に付けた句を付句といいます。つまり、連句は五七五文字（正確には五七五音）なり、七七文字（正確には七七音）なりの前句に付句を付ける、そし次にはその付句が前句となって次にバトンタッチする、というふうに続けてゆくのです。その二句の間に面白い感覚の世界があるのです。

次に、川柳はどのようにして生まれたのでしょうか。簡単にいうと、一つの前句が示されて、それに面白く、うがった句を付けるという前句付けという遊びから、面白く万人に共感を与える付

句が独立したのです。もう少し説明すると、前句を掲示して付句を募集します。応募料は一句について約十文、その応募料を付けて取次所に提出するのです。多くの応募句の中から、翌月入選句が発表されるのですが、この優秀作品には約五百文の賞金が与えられる仕組みで、これが大流行したのです。一例を示しましょう。

　　気を付けにけり気を付けにけり

という前句（七七）に対して

　　母親はもったいないが騙しよい

という付句（五七五）が入選しています。このような前句付けが川柳の始まりです。

それでは、連句は何句から出来ているのでしょうか。始めは、百句からなる百韻という形式が主でした。その他、いろいろな句数の連句形式が試みられてきました。そして、三十六歌仙にちなんだ、三十六句からなる歌仙という形式が中心となってきました。本書ではこの歌仙形式の連句を取り上げることにします。しかし、慌ただしい現代では、これでも長いので、もっと句の数が少ない連句形式が提唱されています。歌仙以外の連句形式については付録で簡単に触れることにしましょう。

連句では特別の用語がときどき出てきます。それらについては、それが出てきた個所で説明しますが、特に、本文に入る前に、必要な言葉を少し説明しておきましょう。先程、連句は座の文芸といわれているといいました。一つの連句作品を作る仲間（グループ）を連衆といい、この集まりを座といいます。連句の会に出席することを「一座する」などといいます。また連句を作ることを「巻く」といい、作品数は巻数であらわします。

五七五の句を長句、七七の句を短句といいます。付け進め方には大きく分けて、連衆が順番に作ってゆく膝送りという方法と、全員が付句を提出してその中から良い句を選ぶという付勝（出勝）という方法があります。どの句を採用するかを決定する人を、捌手といいます。連句作品の出来・不出来はこの捌手にかかっています。音楽でいえばコンダクターです。この決定を治定（じじょう・ちてい）といいます。連衆は捌手の指示に従って付け進めばよいので、作品の優劣はひとえにこの捌手の責任です。

歌仙形式は、表（六句）・裏（十二句）・名残の表（十二句）・名残の裏（六句）の四部から成り立っています。これは、昔歌仙を記録するために、折った二枚の懐紙をこよりで綴じて使ったことからきています。すなわち、一枚目の表が表の折、その裏が裏の折、二枚目の表が名残の表の折、そしてその裏が名残の裏の折というわけです。現在では普通このような懐紙を使いませんが、そのかわりに句の上に小さく、ウ・ナオ・ナウ等と記して、そこがどの部分であるのかを示すことが多いようです。

連句には専門用語やきまり（式目）がありますが、これらをマスターしてから始めようとすると、全く面白くなく、煩わしく、途中でやめたくなることでしょう。これらのことは先程いった捌手に任せておいて、前句にどのような句が付くのか、付けるのかを楽しみましょう。連句で重要なことは、変化を重視して、同じ内容が二度と出てこないように心掛けることです。芭蕉に「たとえば歌仙は三十六歩なり。一歩もあとに帰る心なし。行くにしたがい心の改まるは、ただ先へ行く心なればなり」という有名な言葉があります。

それでは早速、実作を例にとりますから、連句の作り方や楽しみ方を味わってください。

本書で例にとった歌仙は、私達が最近完成した付勝の作品です。前句に対して毎回約六十名の方が付句を提出し、私が捌いた実例です。予選落ちした句にはその理由を、最後に治定した句にはそのいきさつを述べておきました。

一　発句（ほっく）

連句の一番始めの句が発句（ほっく）です。発句は、普通、その季節の句（当季の句）を詠むことになっています。

表の折は、歌仙の四部の始め、例えていえば序破急の序に相当する部分ですから、神祇（じんぎ）（神社や神様に関係したこと）・釈教（しゃくきょう）（仏閣や仏様に関係したこと）・恋・無常（むじょう）（人の逝去や不祝儀に関係したこと）・地名・人名・旅体（りょたい）（旅行に関係したこと）・狂体（きょうたい）（狂人や狂の字がつく言葉）・病体（びょうたい）（病気に関係したこと）といった、あまり印象の強い内容の句は避けた方がよいのです。しかし発句だけは表の折の句でありながら、その内容は当季の句であれば、そのことにこだわらなくともよいとされています。

先に、俳句は連句の発句から出発したといいました。ここで注意しなければならないことは、連句の発句になりうる句とそうでない句があることです。俳句としていくら秀句でも発句としてはどうかなという句があるのです。

まず五・七・五の句で季語と切字があることが最低の条件です。字余りや字不足の句はあまり感心しません。ともかく出発点なのですから、これから始まるのだという感覚の句が要求されるのです。

また、「発句は客、脇は亭主」という言葉があります。連衆がどこかの家に集まって一座するとき、その中の年長者や珍客に発句を作っていただき、その次の句（脇といいます）をその家の主人が作るといったことを述べているのです。しかし、現代連句ではそれにあまりこだわらなくてもよいと思いますが、知っておいてよいでしょう。このことは、発句はそのような場合の挨拶として詠むということです。これに関して有名なエピソードを紹介しておきましょう。

芭蕉が奥の細道の大旅行の際、出羽大石田の高野一栄宅に宿泊したことがありました。そして、一栄始めその土地の人達と元禄二年五月二十九日、三十日と二日間に歌仙を巻いたのですが、その時の発句は客である芭蕉が

　さみだれをあつめてすずしもがみ川

と詠みました。これに主人の一栄が

　岩にほたるを繋ぐ舟杭

と脇を付けたのです。この発句を後で芭蕉は『奥の細道』を出版する時に、

　五月雨をあつめて早し最上川

と直して発表したのです。つまり一栄宅では、「ここは大河が見える涼しい良いお座敷ですね」といった挨拶の句を提出したのですが、後で発句としての文学性を高める

ように直して発表したのでした。なお、この一栄の脇は「いやいや全くの川辺のあばら屋です。そこに芭蕉先生が泊って下さったことはぽっと螢が光っているようです」と答えたのでした。

ところで、歌仙三十六句の中に、名前がある場所（句）が四個所あります。発句・脇（わき）・第三・揚句（あげく）（挙句（あげく））です。このことは、この四個所がある役目をもった重要な所であるからです。その詳細についてはその所で説明します。まず、発句は出発点です。この発句によって、その作品の質が左右されるとまでいわれています。

さて、それでは発句を示します。

寒凪は一鳥抱きて碧（あお）濃くす　直道

波一つない凪いだ冬の海です。そこに一羽の白い鳥（鷗か海猫）が舞っています。そのために海面の青色（紺碧の色）がますます濃くなったようだ、という叙景句です。

この句に冬の短句（たんく）（七七の句）を付けてください。

付句には前句の内容と離れた句と、やや似ている句とがあります。脇の句は、前に述べたように名前のある句です。その役目は発句のいいたらない点を補ってやることです。そこで、脇の句は発句にやや付け過ぎ（似ている）でよいとされています。

付句を案じる際に、「その時」「その場」「その人」という言葉があります。つまり、「その時」とは前句がどのような時刻・日時であったのかという点に着目した考え方、「その場」とは前句がどのような場所であるのかという点に着目した考え方、そして「その人」とは前句に現れた、あるいはいることが予想される人物に焦点を置いた考え方です。

また、自・他・場という言葉もあります。「自」とは人間を登場させて、しかもその人間の感情が表現されていて、それが自分自身のことを読んだ句、「他」とは人間の感情を詠んでいるのですが、それが第三者である句、そして「場」とは人間の感情のこもらない叙景の句を意味します。このことをきちんと分類することは往々にして困難で、いずれかの両者が交じり合った句の場合が多いようです。ともかく、「自」なり「他」なり「場」なりの句がずっと続いては変化に欠けることになります。前からの流れを眺めて判断することです。今は脇の句を考えるのですから、「自」「他」「場」にこだわらなくともよいでしょう。

二　脇（わき）

発句は

寒凪は一鳥抱きて碧（あお）濃くす

です。前に指摘したように、脇（わき）は発句のいい足りないところを補うという役目を持っています。そして発句と同じ季節の句です。そこで次は「冬の短句」が欲しいし、そのように指定しておいたのですが、次のような春の付句がありました。

島 影 の 中 も づ く 刈 る 舟　1
流 氷 来 る と 予 報 告 げ お り　2
前 へ 後 へ と 麦 を 踏 む 人　3

もづく（海雲）・流氷・麦踏は、いずれも春の季語なのです。付録に四季の配分の例を示しておきましたが、春秋は三句位、夏冬は二句位続けた方がまとまるようです。また脇の句以外の付句では、これらの句のように、前句と違った季節の句を付けることがあります。これを、季移（きうつ）りといいますが、季節感が変るのでかなり難しいことです。そのため、ある季節の句と他の季節の句の間には、雑（ぞう）の句（無季の句、季語のない句）をはさんだ方がまとまりやすいし、連句では雑の句が主体であるということが基本です。

うす雪おきて静もれる浜　4
風紋はるか樹氷きらめき　5
灯台のぞむ冬晴れの丘　6

これらは冬の句ですが、雪・樹氷・冬晴は、いずれも天文の季語です。「寒凪」は天文の季語ですから、天文の句は避けてほしかったのでした。つまり、前句が天文の季語を使った天文の句であれば、次の付句は天文以外の句の方がよいのです。これもひとえに連句が変化を重視していることによるのです。もっとも雪嶺・雪山・銀嶺・雪原・雪野は地理の季語ですから、ここで使っても大丈夫です。

真向いに見る富士の白雪　7
心正して仰ぐ雪富士　8

その点、7・8の二句は雪山の句であるから問題はないのですが、富士山という固有名詞が気になります。表の付句には印象が強いので、固有名詞を避けた方がよいのです。

無人の島に祠る黒帝　9

「黒帝」は冬の時候の季語ですが、「冬を司どる神」のことですので、神祇（じんぎ）の句になってしまいました。表の付句には、固有名詞と同様に、神祇や釈教（しゃくきょう）のような句は避けた方がよいのです。

焚火する浜煙（けむ）一筋に　10

前の発句に「一島」と「一」の字があり

ます。歌仙に求められている変化を重視するという立場から、同じ字は近くにない方がよいし、発句にある字はその歌仙を通してずっと遠慮した方がよいのです。

灯台白く寒々と立つ　11
黒潮の帯あり四温晴　12

11は「立つ」といういい切った形（終止形）が俳句の切字のようで面白くありません。というのは、切字は焦点を示しているので、連句の流れはそこで止まってしまいます。連句の付句では切字は避けましょう。12は「黒潮の帯」と「あり」との間を切らないと七七とならないところが苦しいようです。表現は滑らかになるよう心がけましょう。

小春の礁（いくり）波をあそばせ　13

「小春」というと、初冬の季語なので、前句の寒の句に対する付句としては無理のようです。冬の句であっても時期が合いません。

水仙未知の日を掬（すく）う路　14

この句は、付句としては、凝り過ぎています。付句は発句を補えばよいのです。

それでは予選通過の付句に移りましょう。まず、「その場」で考えた句、つまり前句がどのような場所であるのか、に着目した句は次の15〜44でした。○印の句はさらに優れた句です。

○四温の光はねる白浜　15

湾にひたひた冴ゆる潮の香　16
はや傾きし短日の浜　17
○凍てし汽笛に静もれる浜　18
遠く聳ゆる眠る山脈　19
○湖(うみ)を囲んで眠る山々　20
○眠る山影映す湖　21
○影をうつして眠る山々　22
四方の山々眠りたるまま　23
雪を被きし遠き山々　24
稜線くきと映ゆる銀嶺　25
渓に沿いたる探梅の径　26
遠くに光る雪吊の松　27
水仙の香のほのと漂い　28
○岬(さき)の水仙翳(かげ)みだしつつ　29
○岬に高く匂う水仙　30

○岬に香る水仙の群　31
蕾をほのと上げし水仙　32
○浜辺に匂う水仙のむれ　33
日ざしあまねし水仙の丘　34
○水仙匂う岩蔭の径　35
○水仙香る沖合の島　36
香りほのかに園の臘梅　37
○臘梅匂う浜沿いの丘　38
唐梅の香のほのとただよう　39
○早梅薫る岬への径　40
石蕗(つわ)咲く礁(いわ)に波のざぶざぶ　41
遠潮騒に青む冬草　42
束ねられたる庭の枯菊　43
南天垂るる草葺の家　44

次に、「その人」を考えた句、つまり前

句にどのような人がいるのかという点に着目した句に移りましょう。この人間でも自分自身を詠んだ句では

恍惚と佇つ枯芝の丘　45

日向ぼこする遠き街騒　46

でした。

また、人間でも他人を詠んだ句は次の47～51でした。

○綱を繕う着ぶくれの爺　47

遊びし子等に日脚伸びくる　48

○画架を立てたる冬帽の人　49

オーバー脱いで戯れる子等　50

車窓をよぎる探梅の群　51

前句がどのような時刻かに着目しただけの句、「その時」で考えた句は、今回は出てきませんでしたが、自分自身を詠んだ句と組み合わせた付句はありました。

日向ぼこする午後のひととき　52

「その場」と「その人」の組み合わせ、つまり前句の場所と人間を組み合わせた付句は次の53～61でした。

○四温の浜に佇める人　53

○四温の磯に石蓴（あおさ）搔く人　54

○冷たき岩に石蓴（あおさ）搔く影　55

○懐手をして佇（た）てる砂浜　56

○懐手をして佇（た）ちつくす浜　57

日向ぼこする故里の丘　58

○手袋とりて拾う貝殻　59

○着ぶくれて佇（た）つ流木の浜　60

○絶壁に咲く石蕗（つわ）はまぶしく　61

脇句は前に述べたように発句のいい足りない点を補う役目があるのですから当然のことかもしれませんが、いかに同想の句が多いかおわかりでしょう。しかし同想の句ではあってもよい句はよいのであって、○印の句は捨て難い良い句です。ところでこの発句は「濃くす」と仮名で止まっているので、この脇句は漢字で止めた方が釣合います。またいくら佳句でも、同想の句があると治定の根拠に欠けます。こういった点を考慮してここでは47を治定することにしましょう。

網を繕う着ぶくれの爺

つまり寒凪のおだやかな浜辺で厚着した老漁師が魚網を繕っているのです。

さて次の句は第三と呼ばれていて、一転して変化した句が要求されているところです。（ちなみに第三の難所ともいわれています）。また、発句、脇と冬が二句続いたので、第三は雑（無季の句）の長句（五七五の句）をお願いしましょう。

三　第三（だいさん）

発句　寒凪は一鳥抱きて碧濃（あお）くす
脇　網を繕う着ぶくれの爺

さていよいよ第三の難所といわれる第三（だいさん）の治定にとりかかりましょう。脇句が発句のいい足りない点を補う役目を担っている、つまり発句と脇とで一つの場面を作っているのに対し、第三（表三句目）は大きく変化して欲しいのです。

歌舞伎座の演技いよいよ佳境にて　1
北斎の絵はがきを買う美術館　2
ぽつぽつと灯しはじまる旅館街　3

表では地名あるいは歌舞伎座のように地名を暗示する句、北斎といった人名の句、あるいは旅館街といった旅の句（旅体（りょたい）の句といいます）は印象が強いので避けた方がよいのです。

建て増しの部屋にはらから集い来て　4
化粧終え大庭園に城還る　5
朝厨味噌汁の香のただよいて　6
厨（くりや）から夕餉（げ）げの香り流れ来る　7
民謡の発表会の通知きて　8

等はやや無理です。第三は大きく変化する

といっても、前句は着ぶくれた老漁師が網を修繕しているのですから、これらの句は離れ過ぎです。

置き去りの砂のお城はけずられて　9
国道の松面白き形にて　10
年輪を重ねて松の道つづき　11

一句前の句を打越（うちこし）の句といいます。この場合はその打越の句は発句です。その発句が海辺の景とすると、これらの句はそこに戻る危険があります。打越の句と似てしまうこと、つまりある句の前後の句が似てしまうことを観音開き（かんのんびらき）といって連句では特に嫌います。

向（むか）つ嶺に照り仄（かげ）りつつ雲払い　12
飛行雲跡切れず視野あざやかに　13
見上ぐれば飛行機雲の漂々と　14
向つ嶺の雲の流れの気にかかり　15
火の山の噴煙遠く流れいて　16
まなかいに遠く山々たたなわり　17
まなかいの山の頂き仰ぎ見て　18
遠つ嶺に残る落暉のうつくしき　19

さて、ここで歌仙の流れについて少し説明しなければならないようです。付録に四季の配分の例をしめしておきましたが、表には月の句が一つ欲しいのです。歌仙三十六句の中で、月の句は三句欲しいのですが、そのうちの一句は表の六句の中にあった方がよいのです。（大体、表では五句目あたりが月の出番です）。そこで、12から19までの句は前句にはよく付いているのですが、実は月の出番が近いので、そうなるとここでは雲の句や視野が空を向いている句でない方がよいということになります。

宿場町人影まばら日の落ちて　20

同様な理由から、夜景の句も避けた方がよいのです。

待望の二世帯住宅仕上りて　21

この句の中七「二世帯住宅」は字余りです。連句の付句では字余りや字不足は面白くありません。その理由は、そこで連句の流れが停滞してしまうからです。

それでは予選通過の句に移りましょう。

まず、「その場」を考えた句、すなわち前句がどのような場所であるのかに着目した句は次の22～33でした。

久方の故郷過疎にひっそりと　22
食事処の幟ばたばた風に鳴り　23
十字路を行き交うバスの繁くして　24
くねくねと段だら畑へつづく路　25
山裾の着工準備はじまりて　26
草庵の松の大木みごとなる　27
朝市は右往左往に賑わいて　28
マンションの乱立過剰買い手なく　29
新築の別荘ばかり建てられて　30
分校は校旗国旗を十文字　31
○生活のリズム画面に溢れいて　32
古里は昔のままに変りなく　33

次に「その人」を考えた句、つまり付句

に人間を登場させた句で、しかもそれが自分を詠んだ句とみなせるのは、

しばらくは現世（うつしよ）のこと忘れいて　34
雄々しくも家業継がんと作文に　35
○絶対に生まれ故郷を離れざる　36
○誰彼と交わす挨拶ほほえみて　37
ジョギングも日課となりて苦にならず　38
分校は今も唱歌をオルガンで　39
○威勢よく棟上げの唄きこえきて　40
○建て前の唄賑やかに聞こえきて　41
どこからかオカリナの笛聞こえきて　42
○聞き馴れし有線の声流れきて　43
子供等の元気なる声聴こえきて　44
小声にて去（い）にし日の唄口ずさみ　45
くり返し記憶の軍歌つぶやきて　46
おさな等と昔語りをたのしみて　47
孫曽孫合わせ十人大家族　48
落人の末裔（まつえい）たりしこと秘めて　49
絵筆もつ子等の熱気に囲まれて　50
○趣味の絵が思いもかけず入賞し　51
休日は民話集めに精を出し　52

人間が登場する句でも、それが他人である句は

若人のバイクならびて音立てて　53
足早に競歩の人が通り過ぎ　54
片言で歌う子供等今日も来て　55
○テレビ局取材に人の集い来て　56
砂埃あげ紅顔の乗馬隊　57
○若者は我も我もと故郷捨て　58

でした。もっとも、前に自分自身の句とし

て挙げた中でも45~50は、その人が着ぶくれた老漁師とみると、他人を詠んだ句とも考えることが出来ます。

「その時」の句、つまり前句がどのような時刻であったかを考えた付句はすべて人間が登場していました。

お昼よと呼ばわる声の遠くより　59
大声で茶がはいったの声がして　60
お三時のポットコーヒー飲みほして　61

前句の場所と人間を組み合わせて詠んだ句は次の62~67でした。

孫と来て水族館をひと巡り　62
遮断機が上がれば子等は駆け出して　63
建売のセカンドハウス下見して　64
この町は近所付き合い気楽にて　65
年ごとに保育園児が増えてきて　66
頂上にたてばきびしき風ありて　67

さて、○印の句は捨て難いのです。ここで再び発句と脇句を眺めてみますと、この二句の繋がりは都会ではなく田舎の雰囲気を持っています。ここでの変化の一つの方法はなんとかして都会に転じることでしょう。あるいは、前の二句が戸外のようですので、室内に持ってくることも一手段です。また、私はあまりこだわりませんが、脇は漢字留め、第三は仮名留めがよいといわれています。ちなみに「見(み)てご覧(らん)」という言葉があります。これは第三は「て」留め、表五句目は「らん」留めが良いという洒落です。これらの点を考慮して、ここでは51を治定しましょう。

趣味の絵が思いもかけず入賞し

つまり前句の「網を繕っている着ぶくれの爺」が、現実の景ではなく、入賞した絵の景色なのです。面白い展開ですね。

次はもう一句雑（無季）の短句をお願いしましょう。その次の辺りに月が登場することを予期して作っていただきたいのです。

ここでもう一度、月の句について説明しておきましょう。歌仙には月の句が三句欲しいのです（花の句は二句です。これを二花三月（にかさんげつ）といいます）。そこで表には歌仙中の三句の月の一つを出した方がしっかりした作品になります。ここの表はこの後、表四・五・六句目と三句だけです。出来れば表の月は長句にしたいのです。つまり表五句目を月の句と考えておいてください。（ただし発句が秋の句のときは、脇に短句の月がよく登場します）。そこで、次の表四句目の短句は、月の前であることを考えておいてください。

四　表四句目

脇　網を繕う着ぶくれの爺
第三　趣味の絵が思いもかけず入賞し

さて表四句目の治定に取りかかりましょう。

ささやか乍らあげる祝盃　1
祝賀の宴にうまし酒積み　2
遠き友より祝電が来て　3
届けられたる祝電の束　4
絶え間なく鳴る祝いの電話　5
雀がチュンと鳴いてことほぐ　6

祝盃・祝賀・祝電等、「祝」を用いるのは、前句の「入賞」に着目したのでしょうが、これは付け過ぎです。

手作りの店流行(はや)るこの頃　7
窓にニョキニョキビルとホテルが　8

これらは逆に離れ過ぎです。どのような立場で前句の持つ感覚・内容を受け止めたのかわかりません。

上機嫌にて寄れる碁会所　9

この句は前句の「その人」を考えたのでしょうが、打越の句の「着ぶくれの爺」に戻ってしまいます。つまり一番気を付けなければならない観音開きになってしまいました。

試着試着のデパートめぐり　10

客待つ卓の彩(いろ)華やげる　11

面白い句ですが10は下七が四音三音になっていること、11は下七が二音五音になっていることが気になります。短句の場合、下七が四音三音あるいは二音五音となると語調が悪いのです。指で数えて七文字でも、口に出して読んでみてください。調子が悪いでしょう。例えば

試着試着でめぐるデパート

客待つ卓の華やげる彩(いろ)

としてみたらどうでしょうか。

カーテンの裾裏ひそむ猫　12

この句も面白いのですが、「裾裏」を「裾」と「裏」で切らなければ七・七の短句にならないところが苦しいのです。例えば

猫のひそめるカーテンの裾

とでもすればどうでしょうか。

見知らぬ人の文ねんごろに　13

「文」というとなにか恋の感覚があります。表の恋の句は避けましょう。また、この句も下七が二音五音ですね。

打越の句が他人を詠んだ句ですから、ここで他人を詠んだ句を出すためには特別な状況をもってこなければならないでしょう。このような問題点のある句は次の14〜18でした。

久方振りに友の集いて　14

友人知人集まってくる　15
息はずませて飛んで来る孫　16
三三五五と友の集いて　17
肩たたきあう遠来の客　18

それでは予選通過の句に移りましょう。まず、「その場」で考えた句、つまり前句がどのような場所であるのかに着目した句は次の19～34でした。

盃に酒よよと溢れて　19
○テレビニュースで故里の径　20
舗道にかるく響く靴音　21
○カーテン揺れてこそばゆき風　22
○大きな窓に螺旋階段　23
○首をかしげて陶（すえ）のボルゾイ　24
○葉巻の薫る古き草堂（そうどう）　25
窓より見ゆる公園の森　26
電話のベルが休む暇なく　27
やや浮き立ちしファックスの文字　28
古城にかかる一片の雲　29
大きく載せし社内新聞　30
グラス重ねる乾杯の音　31
ガーデンパーティたけなわな刻（とき）　32
○床に置かれし極上の酒　33
赤いリボンで届く盛籠　34

次に人間を登場させた句の中で他人を詠んだ句、つまり先程お話した欠点を避けることの出来た句は次の三句でした。

記念写真にVサインの子　35

○隣近所で先生と呼ぶ　36
　知らせ喜ぶ故郷(ふるさと)の父母　37

自分自身とも他人とも詠んだと考えられる両者の感覚がある句は
　心ばかりと吟醸の酒　38
○テレホンカード作る相談　39
　元部下たちと久々の宴　40
でした。

それでは、予選通過の自分自身を詠んだと考えられる句はどうでしょうか。
　客を迎える用意あれこれ　41
ハミングをして掃除万端　42
しみじみ酔いてかわす微笑み　43

生酛(きもと)造りの銘酒賜る　44
あちらこちらでサインたのまれ　45
ふくらむ夢のはつることなく　46
口笛吹いて握るハンドル　47
フルート吹きて心足る日々　48
喜びかくしかみころす笑み　49
人に会うては添えるスマイル　50
嬉しきことのつづくこの頃　51
○テレホンカード作りすぎたる　52
○葉巻燻らす束の間の刻(とき)　53
手土産の菓子なつかしく受け　54
ワイングラスに透ける思い出　55
○フォルテッシュモにピアノ連弾　56
白磁の杯(はい)に注ぐ美酒(うまざけ)　57

次に、「その場」と「その人」（そして自分自身）の両者を組み合わせた句は

○秘蔵の徳利(とくり)卓に置きつつ　58
　小踊りしつつ出づる校門　59
凱旋門をくぐるときめき　60
ベランダに出て口笛を吹く　61
背を伸ばしつつ仰ぐ嶺々　62

等でした。

「その場」と「その人」（そして他人）の組み合わせを考えた句は

　はらから集いかこむ円卓　63
　同級生が集う校庭　64

等でした。

このような発想はやや付け過ぎとなる危険がありますが、○印の句は祝意と無関係なところがよかったのです。

　オカリナの笛聞こえくるなり　65
　あかるくひびく子等の歌声　66

この二句は一応予選通過ですが、何か前に戻る感じがあるようです。

「その時」を考えた句、つまり前句の時刻・時期に着目した句は、次の二句でしたが、67は自分自身の句との組み合わせ、68は場所の句との組み合わせでした。

○客間の塵を払う週末　67
　御馳走並ぶ夜の食卓　68

さて○印の句はいずれも捨て難いのです

が、変化という点を考えると、三句前の句（大打越といいます。この場合は発句となります）と打越（脇）が戸外の景のようでしたので、ここでは家の中に入った方がよいのです。また打越に人間が登場しているので、その点も考慮した方がよいと思います。これらの点を考慮して、ここでは25を治定しましょう。

葉巻の薫る古き草堂

草堂にはいろいろな意味がありますが、ここでは謙譲語としての自宅のことです。つまり入賞した素人画家が満足げに葉巻を燻らしている古い家を想定したのです。

葉巻を発想した句は53もそうでしたが、53は人間が登場してしまった点がこの25と異なるのです。

次は月の句をお願いしましょう。ただ月といっただけで秋の月の句になりますから、「秋の月」といった表現はむだです。また月と秋の季語を組み合わせても構いません。長句です。

五　表五句目

第三　趣味の絵が思いもかけず入賞し
表四句目　葉巻の薫る古き草堂

　さて表五句目の治定にとりかかりましょう。月の句をお願いしておきました。秋の場（歌仙では三句位続く）で月の句がないことを素秋といって嫌うのです。そこでこの表五句目あたりに月の句があると収まりがよいので、ここを月の定座といいます。なお、月の句をこれよりも前に出すこともあります。このことを「引上げる」といいます。逆にここより後に出すこともあります。このことを「こぼす」といいます。ともかく、定座どおりここで月の句をお願いしました。

　贅沢は一人で拝む望の月　1
　月皓と一湾金にさざめきて　2
　さし入れる月と親しみ一人囲碁　3

　この歌仙の発句は
　　寒凪は一鳥抱きて碧濃くす
でした。そこでは「一」の字が使用されているのです。発句に現れた漢字や留め字はなるべく用いない方がよいのです。これは規則ではなくて、あくまでも連句が変化を重視するためです。

テレビを見れば月も火星もクレーター　4

月光に地の果てまでもと歩を移し　5

4の句は上五が、5の句は中七が字余りになったようです。俳句では字余りや字不足が許されることもありますが、連句の付句では許されません。これも規則ではなく、連句の流れがそこで停滞してしまうのを避けるためです。たとえば

テレビには月も火星もクレーター

月光に地の果てまでも歩を移し

とでもしたらどうでしょうか。

郷愁の想いにけぶる後の月　6

灯を消して月の光を両の掌に　7

皓皓と満月額を照らすらん　8

明月に憑かれて笛を吹くならん　9

縁先に月影落ちて心澄み　10

来し方を思いて仰ぐ望の月　11

これらの句は自分自身を詠んだ句です。二句前の句（打越の句つまりここでは第三の句）も自分自身の句であるので、そのような内容の句の観音開きとなってしまいます。

月光のソナタ奏でるオルゴール　12

これは本物の月ではない月の句です。先に申しましたように、秋の場に月が出ないことを素秋といってあまりよくないとされていますので、例えば月の句が出る前に天文の秋の句があるような場合には、天文の句が続くことを避けるために、このような

本物の月ではない月の句、つまり「月」という字を用いてはいるが月ではない句を出す場合があります。ここではあえて本物の月でない句を出すことはありません。

打揃う尿(いばり)を覗く朧月　13

この句は春の月になってしまいました。春の月でも悪くはないのですが、素秋と同様に、春の場に花が出ないことは素春(すはる)といってあまりよくないとされているので、もしこの句を治定すると、春の場面となって、この次かまたは二句後に花の句を出さなければならなくなってしまうので、後が苦しくなります。やはりここは、秋の場にしましょう。

メルヘンの世界広がる望(もち)の夜　14

詠みたいことはよくわかるのですが、望の夜というと陰暦の月の十五日の夜のことで、月を意味しなくなる危険があります。

後(のち)の月岬に犬の猛(たけ)く吠ゆ　15

「吠ゆ」と言い切ると、切字のようになり、付句ではなく俳句になってしまいます。たとえば

後の月岬に犬の猛く吠え

ではどうでしょうか。

それでは予選通過の句に移りましょう。月と他の秋の季語を組み合わせた句の中で、前句がどのような場所であるのかを考えた句は次の16〜25でした。

月を得て萩も芒もそよぐらん　16

穂芒が白白ゆれる月明り　17
うらなりの糸瓜(へちま)影ひく後(のち)の月　18
月今宵栗つややかに茹であがり　19
良夜(りょうや)とて壺いっぱいの萩芒　20
月光(かげ)に夕顔白く浮きん出て　21
鳴き澄める虫もさやけき宵月夜　22
蜉蝣(かげろう)のとびてひろごる月の暈(くま)　23
月の宴果てし静寂(しじま)の深まりて　24
猿酒の秘かに誘う宵の月　25

次に月だけを詠んだ句に移りましょう。
その中で、「その場」を考えた句は次の26～59でした。

影をおきしじま深めて月移る　26
月代(つきしろ)に木々さやぎつつ身づくろい　27
今日の月街を隈なく照らすらん　28
粛々と金いろの月昇るらん　29
月煌と泰平の世を照らすらん　30
○ゆるやかに楽章移る夕月夜　31
満月は大きくうるみ刻(とき)忘る　32
粧える山々しるき望の月　33
松が枝(え)にゆらりとかかる夕月夜　34
○オカリナの音(ね)に夕月の昇るらん　35
すんなりと定座は望の月とせん　36
遠山に雲のあそべる居待月(いまちづき)　37
中天の月皓々と照らすらん　38
薄雲の去りて澄みゆく今日の月　39
SLの汽笛かすかに暈(くま)の月　40
今日の月異国の空も渡るらん　41
向(むか)つ嶺の山の端(は)そめて月煌と　42

大雨の予報に曇る今日の月　43
○石段に竹の影置き月皓と　44
月影に松籟（しょうらい）高くひびくらん　45
満月の面をかすめる雲早く　46
ようやくに月出かかりし杜（もり）の上　47
明月は木立の上にぽっかりと　48
森閑と月天心に澄みまさり　49
十六夜の月の出真近かほの明り　50
○前栽（ぜんさい）の松にかかれる望の月　51
○月皓と見越しの松の影しるく　52
○開け放つ窓に月光ふりそそぎ　53
○皓々と窓にさし込む望の月　54
○玻璃（はり）越しに松の影さす望の月　55
○更けゆけば玻璃越しの月皓々と　56
○窓越しにぽっかり浮ぶ月今宵　57
○月光（かげ）は部屋の中までさしてきて　58
○丸窓にさし込む月の影さやか　59

この場所の句に他人を組み合わせて詠んだのは

吟じつつ庭より現（あ）れし月の友　60
月の客雨月の膳をかこちつつ　61
夕月夜竹馬の友の訪ね来て　62
終バスに月と友とを連れ行かれ　63

の句でした。

こうして眺めると、前句でやっと室内に入れたのですから、もう一句それに対応した句が欲しいところです。そうなると○印の句はいずれも捨て難いのです。しかし、だからといってはっきりと室内の句にすると、次の句もそれに引きずられる危険が出てきます。そこで、ここでは51を治定しましょう。

前栽（ぜんさい）の松にかかれる望の月

葉巻の好きな素人画家の家の前庭です。今しも松に望の月が輝いているのです。
次は秋の短句をお願いしましょう。

六　表六句目

表四句目　葉巻の薫る古き草堂
表五句目　前栽の松にかかれる望の月

折の最後の句を折端といいます。表六句目は表の折端というわけです。一般に折端の句はおだやかな方がよいのですが、特に表の折端はそのことが要求されています。その治定にとりかかりましょう。

オカルト誌手ににごりかたむけ　1

前に述べましたように表の折端は静かに収めたいのです。その点、この句はやや暴れていいますね。

初潮ほのと流れくる径　2
そぞろに寒き海よりの風　3
いと爽やかに湖からの風　4

この歌仙の発句は

寒凪は一鳥抱きて碧濃くす

でした。つまり、海あるいは湖の景色なのです。この歌仙で海や湖に関係した句を出すとすれば、歌仙の最後（揚句）まで待っていただきたいのです。その理由については、そこで説明しましょう。

豊年の笛遠く流るる　5

豊年の笛となると、在祭（秋祭）の笛で

しょう。そうなると、かすかですが神祇（じんぎ）の句となってしまい表では出さない方がよいのです。

　秋場所跳ねし太鼓てこてこ　6

　将来はわかりませんが、現在のところ秋場所は東京で行われるので、これもかすかですが地名を暗示する句となってしまい、表では遠慮したほうがよいのです。

　軒の蓑虫風にゆらゆら　7
　鈴虫を飼う縁の片すみ　8
　軒下揺れる名残り風鈴　9
　露路石踏めばすだく虫の音（ね）　10
　筧の蔭に小さき虫の音（ね）　11

　これらの句はいずれも住居に関係しています。二句前の句（打越の句、つまり表四句目）が

　葉巻の薫る古き草堂

と住居の句だったので、これらの句はそこに戻ってしまいます。つまり住居に関係した観音開きとなってしまうのです。

　秋愁の詩（うた）ふと口ずさみ　12

　連句は詩ですから語調を無視するわけにはいきません。前にもお話しましたように、短句（七・七）の下の七音が四音三音あるいは二音五音になると調子が悪いのです。この句は二音五音になってしまいました。

　ふと口ずさむ秋愁の詩

としたらどうでしょうか。

　それでは予選通過の句に移りましょう。

人間が出てこない叙景の句とみなせる句の中で、前句の場所や時刻に触れていない時候の季語を使った句は次の13～16でした。

二百十日も過ぎて爽やか　13
穂芒ゆらす風は爽やか　14
童謡ながれ風のさわやか　15
冷え冷えとして深みゆく秋　16

また生活の季語を使った句は

遥か遠くの添水（そうず）こだまし　17
さわやかな風秋の風鈴　18

等でした。動物の季語の句は

小首覗かす蓑虫の糸　19
秋の蛍の淡くはかなく　20
しきりにすだくちちろ鈴虫　21
静寂（しじま）の底に鳴くは邯鄲（かんたん）　22
忘れられたる虫かごの虫　23
虫の合奏地より湧き立つ　24
いとひそやかに虫の声あり　25
あわれを誘う小牡鹿（さおじか）の声　26

植物の季語の句は

白萩散らす風は飄々（ひょうひょう）　27

でした。

次に人間が登場していない句の中で、前句がどのような時刻なのかに着目した句は

闇のすそよりこおろぎの声　28

でしたし、どのような場所であるのかを考えた句は

山路越えくるやや寒の風　29

そぞろ寒さに瀬音更けゆき　30
池の水はねちちろ鳴き止む　31
水琴窟に和する虫の音（ね）　32

等でした。如何に同じ発想の句が多いかおわかりでしょう。しかし、表の折端ともなるとこれも当然のことかも知れませんね。

次に人間が登場している句に移りましょう。時候の句は

○そぞろ歩けば風は爽やか　33
明日敬老の歌謡ショウあり　34
輪唱をする声は爽やか　35

等でした。

生活の季語を使った句は

鯷（ひしこ）からすみ酒の肴に　36
新酒に酔うて口ずさむ謡（うた）　37
虫籠さげて帰る子供等　38
○句を認（したた）めて扇置きたる　39
夜学帰りの子等はハミング　40
かすかに聞こゆ水落す音　41
ややありて又鹿おどし鳴る　42

等でしたし、動物の季語の句は

○知合いもいる虫を聴く会　43
○友と連れだち虫の音（ね）を聴き　44
○我に返ればすだく虫の音（ね）　45
○盃を手にききし鈴虫　46
○蚯蚓（みみず）鳴くかと耳をそばだて　47
○今宵はひとり蜩（ひぐらし）をきく　48

また、植物の季語の句は

○団 栗 に ぎ り 眠 る 幼 な 児　49

等でした。

こうして眺めてみますと、そろそろ人が登場した方がよさそうです。そうなると人が登場した句の中でも、○印の句はいずれも捨て難いことになります。また、前に述べたように表の折端という点を考慮して、ここでは49を治定しましょう。

団栗にぎり眠る幼な児

満月が庭先の松の枝にかかるころ、元気に遊んでいた幼児は、その小さな掌に団栗を握りしめて、ぐっすり眠りに落ちているのです。

次は秋の長句をお願いしましょう。ここから裏の折に入ることになります。表の折で出せなかった句が要求されるところなのです。

七　裏一句目

表五句目　前栽(ぜんさい)の松にかかれる望の月
表六句目　団栗にぎり眠る幼な児

さて裏一句目の治定にとりかかりましょう。このように折の最初の句を折立(おったて)の句といいます。

裏の折は序破急の破に当たりますから、これから大いに飛躍してください。特に裏一句目は表では出すことの出来なかった内容、あるいは暴れた句が欲しいところです。

望郷の踊歌きえ闇せまり　1

夜なべの手休めききいる祭笛　2

足音の近づく気配夜なべ止め　3

打越の句（表五句目）が「望の月」と夜景ですから、これらの句は夜景の観音開きとなってしまうのです。

健やかに夢を叶えよ星祭　4

七夕の景色は必ずしも夜とは限りませんが、「星祭」といってしまうと夜景の感覚になりませんか。

秋曇り照るてる坊主願いこめ　5

秋風の吹き抜けて行く西洋館　6

「秋曇」「秋風」はともに天文の季語ですし、打越の句も天文の句なのです。変化を大切にするという立場から、同じ季節の句のつながりでは、内容（季語）を変えた方がよいのです。ただし、付句では季語が二つ、極端にいうと三つでもかまいませんから、たとえば

蓑虫と照るてる坊主秋曇り

というように他の季語（ここでは動物の季語の「蓑虫」）と組み合わせた句にすればこの欠点を避けることが出来ます。

稲扱（いねこき）の庭先すでに暮れ初めて　7

打越の「前栽」は庭の景色ですので、内容はかなり異なっていますが、やはり無理でしょう。

ホームより呆けし便りそぞろ寒　8

このホームが老人ホームとすれば、五句前（脇句）に着ぶくれの老人が登場していますから、ご老人を詠んだ句は出すとすれば、もっと離れた方がよいのです。

初物の丹波の栗を手土産に　9

面白い地名の句ですが「栗」という字は、前句に「団栗」として用いられています。同じ文字は五句程度離して使った方がよいのです。これも変化を重視するということからきています。ところでここの裏一句目は前に触れましたように、表で出せなかった内容の句が要求されるのです。その点、前に挙げた句のなかでも5・6・7は指摘した欠点が、たとえないとしても、内容的に表でも通用する綺麗なおとなしい句でした。同様に、表でも通用すると考えられる

句は次の10～13でしょうか。

虫売りの売れ残りたる荷を蔵い　10
花野路を幻の馬車駆け抜けて　11
秋すだれ揺れて想出くり返し　12
ゆるゆると簾納める人の影　13

それでは予選通過の句に移りましょう。神祇（神社や神様に関係した内容）・釈教（寺院とか仏教の行事に関係した内容）の句とみなせるものの中で、人間が出てこないと考えられる句は次の14～25でした。

豊年の祭太鼓のひびき来て　14
在祭調子揃わぬ稽古笛　15
笛の音の風にのりくる秋祭　16
ダムとなる里の最後の秋祭　17
秋祭終えて虫の音しきりなる　18
秋深み産土神の森影黒く　19
傾きし祠に止まる大やんま　20
教会の平和の鐘は爽やかに　21
祖母のせて足の短かき茄子の馬　22
鼻欠けの地蔵の肩に赤とんぼ　23
秋彼岸香煙けむる善通寺　24
在祭遠くより笛流れきて　25

24は地名の句でもあります。また22の祖母は老人というよりも故人ですから、前に述べた8と違うところです。

神祇や釈教の内容で、人間が登場する、あるいは登場するとみなせる句は次の26～43でした。

踊笛かすかに流れ酌むにごり 26
○在祭神楽太鼓の撥納め 27
○蒸籠で赤飯をむす恵比須講 28
○盛装し時代祭の列を行く 29
○雑音は会式太鼓に念じこめ 30
○お会式の斎の手伝い頼まれて 31
お命講人騒がせな太鼓行く 32
○故里にはらから集い盂蘭盆会 33
○集い来て初盆供養粛々と 34
○久方にふるさとを訪う秋彼岸 35
○ひやひやと和尚の読経長びける 36
御ッ師はや三回忌すぎ秋立ちて 37
かなかなが鳴いて霊園人まばら 38
○お寺への径幾曲がり墓詣で 39
経となえ伊予を巡れる秋遍路 40

マイカーで秋の遍路の家族連れ 41
地芝居のうから囃して村の衆 42
○身にしみてお百度まいりより帰り 43

これらの中で29は地名（京都）の句でもありますし、40と41の遍路の句は地名（四国）でもあり旅の内容も持っています。

無常（人の死やそれに関係した内容、釈教の内容と似ています）の句は次の44～47でした。また44は地名の句でもあります。これらの句はご覧のように、すべて人間が登場しています。

フランスで客死の葬の冷まじく 44
○両親の訃報かなしく秋たけて 45
○亡き母の納骨済めばひやびやと 46

○母の忌も無事に終りて秋うらら　47

地名・人名を詠んだ句は次の三句でした。

○マイカーでめぐる箱根路秋深く　48

　岩手山賢治の里に秋深み　49

○信玄のかくし湯訪えばうそ寒く　50

これらのなかで49だけが人間が出てこない叙景の句です。

旅体の句は次の51～53でした。

　民宿は柞紅葉（ははそもみじ）にとりまかれ　51

○運転はパパにまかせて秋の旅　52

○語り部の哀話身に沁む旅の宿　53

これらの中で51だけが人間が登場しない句です。

病体の句は次の二句でした。

○熱下がり蜻蛉と遊ぶ夢の中　54

○待ちわびしドナー現れ秋麗ら　55

最後にいままでの分類に属さないと考えられ、しかも裏の一句目として通用する句は

　文化の日ふるさと太鼓特出す　56

　案山子殿おらが田んぼをひとにらみ　57

　ちちろ虫声よく澄みて過疎すすむ　58

　終戦日迎え平和のありがたく　59

○転勤の噂ちらほらうそ寒く　60

○永住を決めし異国は爽やかに　61

　ポケモンも案山子となりて田の中に　62

でしょうか。

さて前句で人間が登場したのですから、もう一句ぐらいは人間が出た方が収まりがよさそうですね。その点、○印の句はいずれも捨て難いのです。また、表五句目から三句続いて漢字止めの句ですので、ここでは仮名止めの句にした方がバランスがよさそうです。そこでここでは36を治定しましょう。

ひやひやと和尚の読経長びける

何かご法事でも行なっているのでしょう。その片隅で団栗を握った幼児がぐっすりと眠っているのです。もしかするとその団栗は、法事の前に、そのお寺の庭で拾ったのかも知れませんね。

次は雑の短句をお願いしましょう。

八　裏二句目

表六句目　団栗にぎり眠る幼な児
裏一句目　ひやひやと和尚の読経長びける

さて裏二句目の治定にとりかかりましょう。

窓より見える海峡大橋　1

この歌仙の発句は

寒凪は一鳥抱きて碧濃くす

であって、海あるいは湖の景色なのです。
この歌仙で海や湖に関係した句を出すとすれば、揚句まで待っていただきたいのです。
その理由はそこで説明します。

不意に鳴り出す携帯電話　2

ほくろの目立つ項(うなじ)がほそく　3

これらの句の下七は四音三音であって語調が悪いのです。たとえば

携帯電話不意に鳴り出す

ほくろが目立つ細い項に

と逆にすればよかったのではないでしょうか。

生きて此の世の闇小名木川　4

柱時計は早や二時を過ぎ　5

同様に、4・5のように短句の下七が二音五音になっても語調が悪いのです。

巨木の梢よぎる雲行　6

大打越の句（表五句目）が「望の月」と空の景色ですので、ここではまだ空の景色は出さない方がよいのです。

突如立ちたるただならぬ顔　7
噂どうりの美しきテノール　8
ビデオカメラを回す外人　9
身重の妻を気遣いし夫　10
欠けしもありて集うはらから　11
時計をチラと見やる人たち　12

これらの句は他人を詠んだ句です。二句前（裏六句目）から二句続いてそのような他人を詠んだ句が登場しています。そこで、ここで人間を詠んだ句を出すとすれば自分自身を詠んだ句にして欲しいのです。

庫裏の垣根につながれし犬　13
ゆらぐ灯影にしのぶ俤　14
追憶はみな美しきもの　15

これらの句は前句に付き過ぎたようです。つまり13は和尚さんが読経しているお寺に、14と15はご法事の対象の故人を詠んだようです。もちろん観音開きとなるよりはずっとよいのですが。

それでは予選通過の句に移りましょう。自分自身を詠んだ句とみなせるものは次の三句でした。

しびれた足裏もて余したり　16
○しびれ治しの呪いをかけ　17
伏し目がちにて膝をくずして　18

これらはいずれも法事の長い読経から足の痺れを想った句ですね。この中でも17がひとひねりしてあることがおわかりですか。

到着便の時刻気になり　19
外遊近く心そぞろに　20
○待ちくたびれし酒の燗番　21
○痛み出したるリューマチの足　22
やっと癒った足のリューマチ　23
茶碗の白湯を音たてて呑み　24
遅れてそっと坐る末席　25
○こじれしままの遺産相続　26
聞き捨てならぬ噂ちらほら　27

22と23はともに足のリューマチの句ですが、前句の長い読経には前者の方が素直に付いています。

裏二句目ともなれば、恋の句を出そうとする発想も多いものです。

恋しい人を痼疾に忘れん　28
まなうらにある亡妻のほほえみ　29
○胸に浮かべる再婚のこと　30
恋の道行きまたも流れて　31
○けどらぬように送るウインク　32
雨が気になりデート気になり　33
ひそひそ話恋の芽生えて　34

次に人間（しかも自分）を詠んだのではない（あるいはそうみなせる）句に移りましょう。動物の句では猫が多く出てきました。

猫の親子は人おじをせぬ　35
くずれ土塀に欠伸する猫　36
迷い三毛猫膝にすり寄り　37
背筋を伸しあくびする犬　38
○盲導犬の身じろぎもなく　39
鴉がわがわかしましきこと　40

これらの中で前句がどのような場所であるのかを考えた内容の句は36でした。また35は「猫の親子」の子が「子猫」だとすると春の句になるので、その点に問題がありますね。

動物が登場しない句で、前句の場所に着目した句は

玻璃(はりど)戸越しなる浅間噴煙　41
やや黒ずみし雨漏の跡　42
○酒と折詰並ぶ次の間　43
梁(はり)の傷あと今もそのまま　44
酒肴の膳に旬の彩(いろど)り　45
やがてこの地もダムの底とか　46
ショッピングする京都駅ビル　47

でしょうか。この中で41・47は地名の句でもあります。

時局を考えた句は次の四句でした。

しびれをきらす世論まちまち　48
やっと決まりし総理大臣　49
政治の流れ日々に乱れて　50
選挙間近なテレビ放送　51

その他の人間が出てこないとみなせる句は

仕出し弁当やっと間に合う　52
携帯電話オフのまんまで　53
外はにわかに土砂降りとなり　54
小雨に濡るる赤きマイカー　55
ゴルフバックはトランクの中　56
乗り継ぎ列車跡形もなく　57
天気待ちするテレビロケ隊　58
交通事故の多いこの頃　59

でした。

さて○印の句はいずれも捨て難いのです。しかし、前句・打越と、他人であっても人間が登場したのですから、ここでは叙景の方が収まりがよさそうですので、叙景の○印の句の中から選ぶことにしましょう。そこでここでは39を治定しましょう。

盲導犬の身じろぎもなく

読経が流れてしんと静まりかえった中に、目の不自由な方がいらっしゃる。そして、忠実な盲導犬がぴたっとご主人のそばにいるのです。そこで、この句は病体の句でもあります。

次は雑の長句をお願いしましょう。

九　裏三句目

裏一句目　ひやひやと和尚の読経長びける
裏二句目　盲導犬の身じろぎもなく

さて裏三句目の治定にとりかかりましょう。

出迎えもなき駅の片隅　1

感覚的にはよく付いているのですが、短句になってしまいました。

アルバムの登山姿の凛々しくて　2

「登山」は夏の季語なので、夏の句になってしまいました。

只管（ひたすら）にあるじに盡すいじらしさ　3

旦那様ひとり大事とお仕えし　4

目に立てるあるじの手垢白き杖　5

これらはやや付け過ぎです。これらの句は前句の「盲導犬」の説明になってしまいました。

パソコンの友に会いたく飛機の旅　6

教師とて良い教材と持ち帰り　7

これらは意味がわかりません。「パソコンの友」の句はEメールあるいはインターネットでの知り合いのことでしょうか。また「良い教材」は前句の何を指しているのでしょうか。

　ボランティアとともに異国の旅に出て　8

この句は上五が字余りのようです。付句では字余りや字不足にならないようにしましょう。そこで、この句は

　ボランティアともに異国の旅に出て

とでもすればよかったのではないでしょうか。

　眼に針を刺していちずな愛を知り　9

「春琴抄」をイメージしていることはわかります。芭蕉一門の連句には「源氏物語」あるいは中国の詩等の古典に基づいた付句がよく出てきます。その点この句は工夫していてよいのですが、当時盲導犬がいたでしょうか。

　相性の良き年まわり読みあさり　10

　デッキより渦潮眺むひとり旅　11

盲導犬がそばにじっと控えているとすると、その人は目の不自由な方ということになり、「読む」や「眺める」は無理ですね。また11は渦潮を詠んでいますが、前にも述べましたように、海や湖の句は最後の揚句まで待って欲しいのです。

　思い出の曲に俤かさねつつ　12

この句は打越の読経に感覚の上でも戻りますし、また読経と音楽では音の観音開きとなります。

　苦労して好きで覚えたピアノ弾き　13
　けたたましラッシュをぬって救急車　14
　サイレンを鳴らして急ぐ消防車　15
　消防車何台も行く大通り　16

ぱたぱたと閉め忘れたる裏の木戸　17

これらの句も打越の読経と音の観音開きになりました。

のめりこむ点字の仕事わかりかけ　18

この句は「点字の読みがわかりかけ」であれば、前句にやや付き過ぎですが、まだわかります。このままですと、目の健全な人の姿となってしまいます。

ツーリングする一団の過ぎ行きて　19

この句は「一」という字が使われていいます。この歌仙の発句に「一鳥」という言葉が出ています。発句や近くにある漢字・言葉は使わないようにしましょう。

それでは予選通過の句に移りましょう。

そろそろ恋をと考えた句がかなりありました。その中で自分自身を詠んだ句が多いようです。

見詰められ見詰め返せぬもどかしさ　20
待ち人のなかなか来ない駅広場　21
コーヒーのお代りをして初デート　22
罪の子となりて君待つネオンの灯　23
腕組むもキスの思いは押し鎮め　24
小さき恋胸に灯りてひそと守り　25
ただ恋うる君のみ胸に顔うずめ　26
さりげなく手を貸す君は人の夫（つま）　27
三度目のお見合成就するように　28
頼られてあとへはひけぬ男だて　29
フィアンセとくつろぐ洒落たカフェテラス　30
その昔惚れたはれたの仲じゃもの　31

薄化粧して待合す喫茶店　32
通学の山の手線で見そめられ　33
○譲られし席に残り香ほんのりと　34
生涯の伴侶にやっとめぐり合い　35
手を握りモーションしきり掛けてるが　36

21・23・30・32・33は前句の場所を考えた句で、その中でも33は地名の句でもあります。また、23は前句の時刻に着目した句です。

恋の句で他人を詠んだ句は次の二句でした。

躾（しつけ）よく育まれたる見目よき娘（こ）　37
姫宮は笑（え）みをたたえてしとやかに　38

恋ではありませんが人間が登場する句で、自分自身を詠んだ句は次の39〜49でした。

お利口ねお前の好きなチーズ菓子　39
僅少の寄付への書状面映ゆき　40
はらからと語り尽せず夕昏れて　41
久々の同窓会に出席し　42
ばかチョンで記念撮影「はいチーズ」　43
夢の中母の笑顔が浮かびきて　44
癒されて久々たどる散歩道　45
留学の夢が叶いてヨーロッパ　46
米寿なる記念撮影和（なや）かに　47
定年となりて気ままな旅つづけ　48
アルバムにスイスの旅を思い出し　49

この中で45・46・49は前句から場所を連想した句ですし、さらに46・48・49は旅体の句です。46・49は地名の句ともなりますね。49の句は、アルバムを見ている人のかたわらに盲導犬がいるとすると、10・11の句と同じ欠点があることになるのですが、「盲導犬を連れた知人」の写真を自分が眺めている、と見立てて予選通過としました。同様のことが後の64の句にもいえます。

恋ではない人間が登場する他人を詠んだ句は次の一句だけでした。

栄光を秘めし戦士に風そよと　50

それでは、叙景あるいは叙景とみなせる句に移りましょう。その中で前句の場所を考えた内容の句は次の51〜60でした。

手仕事の家つづきたる裏小路　51
関空の出発便はやや遅れ　52
信玄のかくし湯という出湯の里　53
○コンサート開演前の静もりに　54
○ニューヨーク株価のゆれる明と暗　55
まなかいの天守染め上げ夕茜（あかね）　56
○マラソンのランナーを待つ競技場　57
○駅員もまごつく様な地下の街　58
不景気でマンション未だふさがらず　59
○降り止まぬ豪雨人家を押し流し　60

52・55は地名の句、53は人名の句でもありますね。

その他の叙景句は

○想像を超える集中豪雨らし　61

九　裏三句目

○何日も降り籠められて煙る雨　62
ほのぼのと朝餉の香りただよいて　63
過ぎし日の写真ポトリと詩集より　64
○世界的不況ニュースの日々流れ　65
ボランティア募集しますと幕張られ　66
○後手後手の不況対策先見えず　67
○株の値は負の連鎖にて揺れ動き　68
北鮮の狂気ミサイルぶっ放ち　69
○ゆらゆらと電柱ゆらす震度六　70

でした。この中で65・67・68・69は時局の句ですし、さらに69は地名の句ともなります。

こうして見ますと、あと一句位は叙景の句の方が収まりよさそうです。その中でも○印の句はいずれも捨て難いのです。ここでは54を治定しましょう。

コンサート開演前の静もりに

コンサート会場は演奏前で静まりかえっているのです。その会場の席にすわってコンサートの開始を待っている目の不自由なご主人のかたわらに、盲導犬が身じろぎもせずひかえているのです。これが音楽が始まってしまった後でない点に注意して下さい。演奏が始まってしまっていれば、打越の「和尚の読経」と音の観音開きになってしまうのです。

さて、次は雑の短句をお願いしましょう。

十　裏四句目

裏二句目　盲導犬の身じろぎもなく
裏三句目　コンサート開演前の静もりに

さて裏四句目の治定にとりかかりましょう。雑の短句をお願いしておきました。

胸ときめかし啄木詩集　1
アッシー君は誰にしようか　2
留学生の大袈裟なキス　3
ドミノ倒しの連鎖倒産　4
粋な茶房の甘きコーヒー　5

これらの句は作者にはよくわかっている付けなのでしょうが、その付け味は他人には無理のようですね。つまり前句に離れ過ぎている、あるいは付かないようです。

シャネル5の香のただよう て来る　6

この句の付け味はよいのですが、「シャネル5」は香水です。「香水」は夏の季語なので夏の句になってしまいました。

婚約祝すボジョレーヌーボー　7

ボジョレーヌーボーは十一月の第三木曜日が発売日ですから、そうなるとこの句は初冬の句になるかもしれませんね。また、新酒と考えると秋の季語に「新酒」が登録されていますから、秋の句になるかもしれません。

シルクロードの古琴さわやか　8

「爽やか」は秋の季語なのです。捌手が雑をお願いしてあれば、そのような句を作っていただきたいのです。そのために作品の出来は全て捌手の責任なのです。

天気予報は大雨注意　9

まさぐる指に婚約指輪　10

若きカップル手を重ねあう　11

9と10の下の七字は語調でいうと四音三音、11は二音五音です。調子がよくないですね。

それでは予選通過の句に移りましょう。

そろそろ恋をと考えた句が圧倒的に多かったようです。ということは同想の句も多かったということになります。さてそれらの恋の中で自分自身のことを詠んだと考えられる句は次の12〜29でした。

余韻をむねにデート成功　12

初のデートに頬は紅潮　13

闇に乗じてそっと口づけ　14

来る筈の女（ひと）来ない焦燥　15

肩寄せ合いて巡る空想　16

あたり窺い寄せあえる肩　17

そっと重ねし温き掌を　18

タイミングよくそっと手がのび　19

ばったり会いし初恋の人　20

思い出される別れたる人　21

○うしろ姿はあの人に似て　22

心昂ぶる相愛の仲　23
見つめ合う瞳に高まりし胸　24
ウインクだけで告げる約束　25
ぐっとこらえる愛の告白　26
倖せつつみ決まる婚約　27
○ウィーンで過ごす新婚の旅　28
フィアンセ待ちて心そわそわ　29

この中で22・28の発想はユニークですね。
28は、前句から「その場」を考えた句でもあって、しかも地名と旅体の句になっています。

次に恋の句でも他人を詠んだと考えられるものは次の30～36でした。

まだ現れぬボーイフレンド　30
笑みをこぼして君は隣に　31
誕生祝渡される女（ひと）　32
婚約指輪光る指先　33
なぜか気になる盛装の女（ひと）　34
夢追ひつづけ理想カップル　35
座席さがせる妻の癇癪（かんしゃく）　36

その他の恋の句で予選通過は
○当たってほしいキューピッドの矢　37
○お見合の席前と後ろに　38
成田離婚をぼろと洩らせし　39
等でした。ここで37は神祇と人名の句ともみなせますし、39は旅体の句です。
それでは、恋の句ではないと考えられる

句に移りましょう。人間を詠んだ、あるいは詠んだと解釈できる句は次の40～53でしょうか。

○殿下のヴィオラ期待昂めつ　40
○微笑美しき雅子妃殿下　41
○会釈をされし殿下妃殿下　42
○白いスーツの紀宮さま　43
○ふと思い出す北欧の旅　44
　歓喜にふるえ希う成功　45
○夢にまで見しウィーンの宵　46
○ピンカートンの船はいまかと　47
　そっと手渡す英文のメモ　48
　珈琲香り熱くなる胸　49
　胸の鼓動をおさえかねつつ　50
　お国言葉はなつかしきもの　51
　エッフェル塔を仰ぐひととき　52
　鴉呆けて羽根落しゆき　53

48と50は恋の句とも感じられますが、前者は外人を連れたガイドとみなせますし、後者はこれから演奏される音楽への期待と考えられます。また、44・46・52は地名の句であり、さらに44は旅体の句でもありります。そして、41・43・47は人名の句にもなっていますね。なお、52は戸外であるので前句には無理との感覚を持たれる方もいるかもしれませんが、野外コンサートとみなすことにしましょう。

最後に人間が登場しない句を挙げましょう。

ベトナムの子によせるチャリティ　54

遺児救済の募金箱置き　55

こうして見るとそろそろ人間に登場してもらった方がよさそうです。その中でも○印の句はいずれも捨て難いのです。しかしはっきりと恋とわかる句は前にも述べたように同想のものが多いのです。ここでは42を治定しましょう。

会釈をされし殿下妃殿下

演奏会に皇族がご出席になっているのです。今、会釈をされました。そのため一段と会場はしんとしたのです。40・41・43も同想かもしれませんが、42はわが国の皇族でなくとも通じるという自由度をもっている点が違うのです。

さて、次は雑の長句をお願いしましょう。恋の句でもよいし、そうでなくとも結構です。

十一　裏五句目

> 裏三句目　コンサート開演前の静もりに
> 裏四句目　会釈をされし殿下妃殿下

さて裏五句目の治定にとりかかりましょう。ここでは雑の長句をお願いしておきました。

再会を約し別れの手をにぎり　1
待望の日本一にハマは沸き　2
一目ぼれローマの恋は永遠に　3
紙一重背中合わせのキューピッド　4

この前句には「会釈」というところで「会」という漢字が用いられています。また、発句には「一鳥」というところで「一」の字が用いられています。同じ字や留め字は五句程度離した方が、さらに発句に用いられた字や表現は最後まで使わない方がよいのです。

野菜高値にふと首かしげ　5

この句は短句になってしまいました。

博士号捨ててシャポーの店を継ぎ　6
新婚の夫(つま)の料理は豪華版　7

これらは作者にはよくわかっている付けなのでしょうがその付け味は他人には無理です。つまり前句に離れ過ぎている、あるいは付かないようですね。

恋あわれパリー路上の悲運の死　8
来日のあのお姿は今あらず　9
遠き日の恋は切なく美しく　10
地雷除去果たせぬままに夢砕け　11

これらの句はダイアナ妃を詠んだのでしょうが、前句の感覚と少しずれます。

向井さん再度宇宙へ飛び立てり　12
兄弟の横綱戦が期待され　13
不景気の企業視察に気も重く　14
景気よき過去をついつい憶い出し　15

これらは現代の世相を詠んだ時局の句ですが、やはり前句の感覚とずれます。

フィアンセの手を取りロマンしかと亨け　16
フィアンセと結婚式の予定組み　17

前句の「殿下妃殿下」はご夫妻と見た方が素直ではないでしょうか。そうなるとこの両句はやや無理ですね。

それでは予選通過の句に移りましょう。殿下妃殿下に焦点を合わせた句は次の18〜35でした。

ゼスチャーを交え巧みなフランス語　18
お気軽に声をかけられ舞上り　19
おやさしい愛に包まれ弥栄を　20
何人も阻むものない永遠の愛　21
やわらかき幼子の頬すり寄せる　22
国民の信望担い西東　23
災害の難民救う催しに　24
手つなぎて希望の丘をかけのぼる　25

○まだ遠き山の頂き仰ぎつつ　26
新婚の宿は由緒のある部屋に　27
何時の間に夫婦の仲は破局とは　28
○珍しき民族衣装髪飾り　29
親善の旅はオランダイギリスと　30
親善の中国旅行手をとられ　31
○華やかに帽子競いてダービーへ　32
○庭園に声若やぎて二條城　33
○ペアルック国際線は賑やかに　34
○スケジュール詰る異国の晴れた空　35

このグループの句はどちらかというと付け過ぎの危険を持っています。○印の句はその点、問題ないようですね。なお、30〜33は地名の句ですし、さらに27・30・34・35は旅体の句でもあります。

次に殿下妃殿下が背景にあって、そして他人等を詠んだと考えられる句は次の36〜49でした。

カメラマンここぞと腕によりをかけ　36
○運と根ニュースを追って婦人記者　37
選手達足音高く行進し　38
あちこちに婦警もまじる人の波　39
歓迎の小旗が揺るる京の旅　40
うち振れる小旗の波に日は燦(さん)と　41
○すべり出す列車の窓は広々と　42
○なみなみとワインつがれてなごやかに　43
小国も大国もなき平和な世　44
○銀の馬車お伽の国のローマンス　45
○こうのとり乗せてお伽の国の馬車　46

○山頂をめざすＯＬ黙黙と　47
○お見合の彼は凜々しい儀仗兵　48
カメラ提げ追っかけママは街角に　49
40は地名・旅体の句でもあります。

次に自分自身を詠んだ（あるいはそうみなせる）句に移りましょう。

いにしえの思いびととて懐かしく　50
幸せな気持を胸に辿る道　51
北欧の旅を楽しむハネムーン　52
スケジュール妻の願いも中に入れ　53
待たされて電光ニュース上の空　54
明日までの急ぎ仕事にテレビ止め　55
忘れ得ぬ初恋の人思い出し　56
面影は脳裏はなれず夢となり　57
過ぎし日の異国の旅路なつかしき　58
恋人を待ちあぐね居るコンコース　59
お待ちする御子誕生の良きうわさ　60
○夢の中お伽噺の金の馬車　61
手を振りてシャッターチャンス失いし　62
○片恋は騎馬警官の凜々しさに　63
この中で52と58は旅体の句ですし、さらに52は地名の句でもあります。

さて、これまでの流れを見てみますと、ここはそろそろ恋にした方がよさそうです。そこで今回は48を治定することにしましょう。

お見合の彼は凜々しい儀仗兵

つまり、殿下妃殿下のいらっしゃる場に、凜々しい儀仗兵達がいるのですが、その中の一人が実は自分の見合の相手なのです。改めて惚れ直したことでしょう。

次は雑の恋の短句をお願いしましょう。

十一　裏五句目

十二　裏六句目

裏四句目　会釈をされし殿下妃殿下
裏五句目　お見合の彼は凜々しい儀仗兵

さて裏六句目の治定にとりかかりましょう。ここでは雑の恋の短句をお願いしておきました。

薔薇の花咲く新婚の庭　1

「薔薇」は夏の季語です。ここは夏でも悪くないのですが、捌手が雑の恋と指定したのですからはずすことにしましょう。

今では妻に手綱取られて　2
やっとかないし新婚の旅　3
夫（つま）の帰りにいそいそとして　4
スピード婚と皆にさわがれ　5
夫婦別姓キャリアウーマン　6
バージンロード身も震えつつ　7

これらの句は結婚後あるいは挙式中の状況ですね。前句は見合の段階であって未だ結婚していないと考えた方が無理がないのではないでしょうか。もっとも、前句を「私は見合結婚でした」という意味にとったのかも知れませんが、それでもこれらの句は急ぎすぎているようですね。

白いドレスでワルツを舞いて　8

ステップ軽くワルツ踊れる　9

三句前の句を大打越（おおうちこし）といいます。この場合は裏三句目となりますが、それがコンサートの句ですので「ワルツ」は気になりますね。また8は下七が四音三音になっている点が問題です。

呆けし母の若き日の恋　10

「呆けし母」は感覚的に病体の句ではないでしょうか。そうなると、病体の句ともみなせる「盲導犬」の句が近いのです。

肩に寄り添う若きカップル　11

これは前句には無理のようですね。

人垣の外さめてゆく恋　12

この句は何か打越の句に戻る感じ、つまり殿下妃殿下を一目みようと集まっているという感じがあります。

おはなはんに似しみめ美（は）しき女（ひと）　13

この句は上七が字余りではないでしょうか。連句の付句は字不足や字余りの句は避けましょう。

とつおいつしていらえも出来ず　14

親しげな女（ひと）デイトの席へ　15

これらの句の意図は作者にはわかっているのでしょうが、他人には意味不明ではありませんか。また14は下七が四音三音になってしまいました。

親が決めたる道ひたすらに　16

この句は下七が二音五音になってしまいました。

一目惚れして熱い口づけ　17

この歌仙の発句には「一鳥」という言葉がありますので「一」という字は遠慮した方がよいのです。

それでは予選通過の句に移りましょう。前句から見合をする（した）女性に的をしぼった句は次の18〜47でしょうか。

待ちし電話に熱くなる胸 18
○浮名いろいろあるも慕わし 19
相性よくて胸はどきどき 20
デートをすればぴたり寄り添い 21
瞼に描く夢は新婚 22
デートの度に愛が深まり 23
○決めかねているヘアスタイル 24
愛をささやく声はかすれし 25
広がってゆく結婚の夢 26
理想のひとに会いし幸せ 27
○ワインの酔いの目元なまめき 28
○次のデートは"しるこ屋"に決め 29
相聞（そうもん）の句を短冊に書き 30
別れのときの軽き口付け 31
童話にも似た甘い接吻 32
○ふと立ち止まる恋の十字路 33
○馴染みし人の別れ算段 34
○胸に秘めたる淡き初恋 35
○忘れられない過ぎし初恋 36
○瞼に泛（うか）ぶ初恋の人 37
かなわぬ夢をひそと悲しむ 38
交際たたれ傷心の旅 39
エアーメールも恋文になり 40

ワープロで打つ熱い恋文　41
○男嫌いも今日を限りに　42
街角でする恋の占い　43
○新人類の娘そわそわ　44
大和撫子(やまとなでしこ)触れ込みてあり　45
○そっと重ねた白魚の指　46
上手に言えぬ愛の告白　47

このグループの多くの句が、この見合がうまくゆくように、あるいは大体決定した幸福な感じであるのに対して、33〜37は他に好きな人がいた（いる）といった迷い、そして38・39は断られた残念な句でしょう。このように付句にいろいろと変化を考えることが出来るのが、連句の面白さの一つなのです。しかし、このグループの句はどちらかというと、○印の句を除いて、付け過ぎの危険を持っています。

次に相手の儀仗兵を詠んだとみなせる句は

○裏目に出たる過ぎたまじめさ　48
○仲よく孫をあやす可笑しさ　49
折り目正しく語る胸の火　50
○光源氏のうわさ巷に　51
○じれったいよな恋の堅ぶつ　52

等でしょうか。こちらのグループの方が前のグループよりもひとひねりしていますね。なお、51は人名の句と考えることが出来ます。

どちらの人物ともみなせる、あるいはそういった内容の句は次の53〜61でした。

○キューピッドの矢胸を貫き　53
○あるか無きかの赤い糸なり　54
縁は異なもの味なものとか　55
三つ違いで相性もよし　56
聟入り決まる大安の日の　57
あっという間に決まる結婚　58
広がる夢の未来設計　59
○制服脱げば恋の年ごろ　60
○しきたり多き故里の婚　61
人間が出てこない句は次の句でした。
○朱い衣桁に掛けし白無垢　62

さて、これまでの流れを見るとここは叙景の句がよさそうですね。人間の出てこない恋の句は難しいのです。そこで今回は62を治定しましょう。

朱い衣桁に掛けし白無垢

そろそろ見合相手（儀仗兵）との挙式の日が近づき（あるいは当日となり）、部屋の衣桁には挙式用の白無垢がかけられているのです。室内に入った句に変化させたことも、この句の手柄でした。

次は夏の月の長句をお願いしましょう。恋を離れてください。なお、「夏の月」「夏月」といった言葉を使わなくとも、夏の季語に「月」を組み合わせれば夏の月の句となります。

十三　裏七句目

裏五句目　お見合の彼は凛々しい儀仗兵
裏六句目　朱(あか)い衣桁(えこう)に掛けし白無垢(むく)

さて裏七句目の治定にとりかかりましょう。夏の月の句をお願いしておきました。前にも述べましたように、歌仙では月の句が三つ欲しいのです。しかしその三つの月がすべて秋の場面に登場すると、何か変化に乏しいですね。三つの月の句の中で一つは夏か冬の月の句にすると収まるようです。そこでここでは夏の月の句をお願いしました。

かの夜月涼しかりしと古日記　1

「月すずし」は確かに夏の季語ですが、「古日記」が冬の季語なのです。つまりこの句は夏と冬の季語が入っていることになります。付句では季語が二つあってもよいのですが、その場合は同じ季節の季語に限ります。

ブライダルチャペルにかかる月涼し　2
新姓のサムソナイトに月涼し　3
月涼し寝つかれぬまま娘(こ)と仰ぎ　4

これらは未だ恋の感じが若干しますね。恋の句は裏五・六句目と二句続きましたので、ここでは恋の感覚の句は避けて欲しいのです。これを「恋離れ（こいばなれ）」といいますが、恋離れは難しいのです。

夏の月瀬戸大橋は灯をともし　5

巨船上ぽっかり浮かぶ夏の月　6

この歌仙の発句と脇句が海あるいは湖の景色でした。そこで、もう海や湖に関係した内容の句は出さない方がよいのですが、出すとすれば揚句まで待った方がよいのです。

アトリエの窓辺涼しき月あかり　7

この歌仙の第三が

趣味の絵が思いもかけず入賞し

と絵画に関係した句でしたので、絵画に関係した付句はもう充分でしょう。

新築の窓辺に夏の月涼し　8

開け放つ窓より涼し夏の月　9

炎昼のつかれ涼しき夏の月　10

前にも述べましたように「月涼し」だけで夏の月の句になるのです。つまり「夏の月涼し」や「涼し夏の月」は言い過ぎです。「月」と夏の季語と組み合わせれば夏の月の句になるのです。したがって、予選通過の句の中にも今回は予選通過としましたが、この点の言い過ぎの句があることに注意してご覧になってください。

夏期休暇終り月浴び家路へと　11

「休暇明」は秋の季語です。また、この句は戸外を歩いているようです。前句は家の中ですから、家に帰りついた情景にしないと無理ではないでしょうか。

宴(えん)果てて簾越し見ゆ今日の月　12

確かに「簾」は夏の季語ですが、「今日の月」は秋の季語なのです。

それでは予選通過の句に移りましょう。

前句について「その場」を考えた家の中の叙景の句は次の13〜21でしょうか。

ベランダをほどよく照らす夏の月　13
涼しげにれんじ窓から覗く月　14
磨かれし窓に涼しき月を得て　15
玉虫に及べる窓の月の光(かげ)　16
簾越し涼しき月のにおい初め　17
月射して涼しく並ぶ夏料理　18
○夏の月さし込むビルの和服ショー　19
○月暑くレンタル店は遅くまで　20
窓越しの原野范々(ぼうぼう)夏の月　21

また、家の中の景色と人間を組み合わせた句は次の22〜26でした。

灯を消せば簾を洩るる月の光(かげ)　22
風鈴の音澄みゆきて月涼し　23
先ずは酒月も賜いて床(ゆか)涼み　24
○すだれ上げ月入れて酌む寂(さび)し酒　25
端居(はしい)して月に名残りを惜しみつつ　26

この中で24は地名（京都）の句でもあります。

ともかく、いかに同じ発想の句が多いかおわかりでしょう。その点、このグループの句の中では○印の句はひと工夫があってよかったと思います。

次に家の中とは不明である叙景の句を挙げます。ただしこれらの句は家の中から眺められている、あるいは聞こえるとみなすことにしましょう。

百雷のひそむ峯よりまるい月　27
昼の月ふと雲に入り蟬しぐれ　28
緑蔭を透かし昼月呆けたる　29
夕立はあがり涼しき月の影　30
天心に月は涼しくほほ笑める　31
心太ごとき透明昼の月　32
眉月を涼しくやどす心字池　33
涼しげな古びた町の月明り　34
くちなしに涼しき月の昇りそめ　35

青芦のさゆれる中に月の光　36
打水にしっとり濡らす月の光　37
乱れたる現世を照らす夏の月　38
雨晴れて雲の阿修羅に月涼し　39
池の面に涼しき月の光宿り　40
○舫い舟あやめ祭の月に濡れ　41
○涼しさの神鈴月にこだまして　42
○はんなりと葵祭の昼の月　43
郭公のひとこえ月にこだまして　44

この中で41・43は地名（41は水郷、43は京都）の句でもあります。また、42・43は、神鈴・葵祭と神祇の句でもありますね。

場所と人間を組み合わせた句は次の一句です。

中天の月は濁りて蒸暑く　45

最後に、人間が登場して場所に触れていない（あるいはそうみなせる）句に移りましょう。

○帰省して形見を分けつ仰ぐ月　46
○父の日の月に涙を覗かるる　47
盃の涼しき月を交しつつ　48
振り向けば初夏（はつなつ）の月匂やかに　49
○亡き母の面影しのぶ夏の月　50
涼やかな月光（かげ）の中帰り来て　51
空仰ぎ望郷つのる夏の月　52

46・50は、形見・亡き母と無常（むじょう）（人の死等に関係したこと）の句でもありました。ここでも同想の句が多いのに気付かれたことでしょう。○印の句は苦労のあとがうかがえますね。

さて、これまでの流れを見ますと、まだここでは叙景の句がよさそうです。また、前の月の句が望月を詠んでいましたから、ここは夜景でない方が変化に富むのではないでしょうか。そこでここでは43を治定することにしましょう。

はんなりと葵祭の昼の月

葵祭は加茂祭ともいって、五月十五日に行なわれる京都加茂神社の祭礼で、王朝絵巻を見るような牛車を中心にした絢爛（けんらん）とした行列が有名です。つまり前句を、葵祭の日、京都のある家の一部屋には衣桁に掛けられた白無垢があると見立てたのです。この家では近々目出度い婚礼があるのでしょう。この句は地名と神祇の内容を持っていることになりますね。24も京都の加茂川畔の料亭の納涼台を考えた京都の句でしたが、ここでは前に述べましたように叙景の方を治定します。

次は夏の短句をお願いしましょう。

十四　裏八句目

裏六句目　朱い衣桁に掛けし白無垢
裏七句目　はんなりと葵祭の昼の月

さて裏八句目の治定にとりかかりましょう。ここでは夏の短句をお願いしておきました。

避暑にどうぞと便り嬉しく　1

土用鰻もつい食い忘れ　2

「葵祭」は五月十五日なのですから、「避暑」や「土用鰻」は時期的にすこし早いのではないでしょうか。また、2は下七が二音五音で語調が悪いのです。

五月の京は観光シーズン　3

夜風涼しき朱き雪洞　4

「月」の字は前句（裏七句目）に、「朱」の字は打越（二句前、裏六句目）にありますから、ここでは近過ぎます。同じ漢字や留め字は五句位離した方がよいのです。

街騒よそに夏風邪に臥し　5

この句は前句によく付いていますが、病体の句とすると同じ折（ここでは裏の折）に「盲導犬」の句があるのが気になりますね。病体の句は、出すとすれば別の折（ここでは名残の折）に入ってから出した方がよいのです。

父の形見の夏袴はき　6

打越に「白無垢」という着物が出ていました。つまり衣服の観音開きとなります。

新茶の香り漂いくれば　7
車にひかれでで虫無残　8
レースパラソルこの日に合わせ　9

これらの句は下七が四音三音になっているのが気になりますね。たとえば

新茶の香り漂いてきし
車にひかれ無残でで虫
この日に合わすレースパラソル

とでもしたらどうでしょうか。

加茂の川風涼しげに吹き　10
川床（ゆか）わたり来る風の涼しさ　11
南大門の深き片陰　12
人垣ぬけて憩う川床（かわどこ）　13
牛車（ぎっしゃ）の軋み暑く聴きつつ　14

これらの句は前句の葵祭（京都）に付け過ぎました。

走り梅雨にてカラフルな傘　15

前句では昼の月が出ているから、雨の句は無理です。

早苗饗終えて交（まじ）る行列　16

早苗饗（さなぶり）は、田植が終った後に神棚に早苗を供えて、休みをとって行なう宴会のことですから、神祇の句となります。そうなると前句も葵祭という神祇なので面白くありませんね。

それでは予選通過の句に移りましょう。

前句の葵祭（京都）という場所に着目して、そこからさらにどのような情景が見られるのかと考えた叙景の句は次の17～28でしょうか。しかし、前に挙げた10～14のように付け過ぎでない句です。

草浮蝣が翅をたたみて　17
街騒ぬってひびく遠雷　18
川面の雲を糸蜻蛉追い　19
川面を渡る風の涼しく　20
鱧きざむ音厨よりして　21
鱧料理とて老舗賑わう　22
老舗の軒をすぐる涼風　23
橋も涼しく四方の山々　24
旅路の古都は青嶺めぐらし　25
○もの怪生れし深き下闇　26
青葉の先に大きでで虫　27
きらきら光る街の噴水　28

いかに同じ発想の句が多いかおわかりでしょう。

次に、前句からどのような人間が登場するのかと考えた句、あるいはそうみなせる句に移りましょう。

カメラ撮り終えビール飲み干す　29
冷酒柄杓でふっと息する　30
家紋の盃に回す冷酒　31
鱧を肴に交す冷酒　32
冷酒酌みて語る来し方　33

さて、これまでの流れを見てみますと、そろそろ人間が登場した句がよさそうですね。そこでここでは36を治定しましょう。

年季入りたる鱧(はも)の骨切り

戸外から葵祭の賑やかな音が響いてきています。一方、奥まった料亭の厨房では年季の入った板前さんが黙々と鱧の料理の仕度をしているのです。鱧は小骨が多いので、身を切らないように小骨を除(のぞ)くことを骨切りといいます。この鱧料理は京都の名物です。人間の登場する鱧の句は、36以外にも32・45とありますが、36の句はひとひねりしています。

それでは、次は雑の長句をお願いしましょう。

十五　裏九句目

> 裏七句目　はんなりと葵祭の昼の月
> 裏八句目　年季入りたる鱧（はも）の骨切り

さて裏九句目の治定にとりかかりましょう。ここでは雑（無季）の長句をお願いしておきました。

柚子風呂に浸りて想う来し方を　1

「柚子風呂」は冬（歳末）の季語ですので、冬の句になってしまいました。

心づけはずむ難波の旅の夜　2

旅の句を出そうとした考えはよいのですが、打越（裏七句目）の句が「葵祭」と地名（京都）を暗示していますので、難波という地名の句は近過ぎます。

雨止んで心斎橋のブティックへ　3

釣キチと云われつ通う伊豆の島　4

これらの句も心斎橋・伊豆と地名になってしまいました。なお、4は海に関係した句ですね。この歌仙では、発句と脇句が海の景色ですから、海に関係した句を出すとすれば揚句まで待って欲しいのです。次の二句も海に関係がありますね。

最涯の埼濤（さきなみ）あぐる縹（はなだ）色　5

日韓の漁業協定成立し　6

次の句は地名ではありませんが、何か「葵祭」に戻る感じがします。

新幹線座席指定は満席で　7

つまり葵祭の行事への観光の客で混雑しているという点です。

由緒ある蒔絵のお椀ととのいて　8
床の間に志野の香合古き宿　9

この句は前句によく付いていますが、大打越の句（裏六句目）の

朱い衣桁に掛けし白無垢

に通じる危険、つまり由緒ある蒔絵の椀がおかれている、あるいは床の間に志野の香合がおかれているといった雰囲気と白無垢が掛かっている衣桁のある部屋の雰囲気に共通した感じがあります。

藩窯の誇りを今に陶を焼き　10
人命の重さに揺れるマスメディア　11
臓移植尊きいのち継ぎゆきて　12

これらの句は面白いところを狙ったのですが、やや無理ですね。また12の臓器移植が病体の句とするとこの折（裏の折）には「盲導犬」という病体を暗示する句がありますから、病体の句を出すとすれば次の折（名残の折）まで待って欲しいのです。次の句も、快気祝（病気の全快の祝）・抜歯と病体です。

湖はれて友と快気の祝酒　13
ぐずぐずと抜歯の予約すっぽかし　14

それでは予選通過の句に移りましょう。

前句の場所を考えて詠んだ叙景あるいは叙景とみなせる句は次の15〜21でしょうか。

マスコミに載りて客足どっと増え 15
不況にもなかなか効かぬ低金利 16
リストラの波は収まる気配なく 17
乾杯のワイングラスはきらきらと 18
○くるる戸のギイと開(あ)いたる音のして 19
醸(かも)されるチークの樽のウイスキー 20
グルメ誌のグラビア飾るシェフの店 21

ここで16・17は時局の句でもあります。

次に人間が登場する句に移りましょう。その中でも他人を詠んだと考えられる句であって、しかも前句の職人に的をしぼった句は次の22〜35でした。

○三代目家を潰さぬめでたさよ 22
午後十時眼鏡掛け替えパソコンに 23
愚直にて世辞追従は大嫌い 24
眼差(まなざ)しはぞっとするほど鋭くて 25
惜しまれて今悠々の楽隠居 26
○暖簾分けうんと言わない頑固者 27
タレントとなりて世界を股にかけ 28
○極道の果ては他国に流れ住み 29
○目で覚えメモをひそかに旅鞄 30
○息子には好きにやれよと言いつつも 31
ふるさとの父母(ちちはは)偲ぶ写真帖 32
○賞勲も名誉市民も御辞退し 33
大人気テレビ写りが超良くて 34
リストラを知らぬ職人冥加(みょうが)なる 35

この中で23は前句の時間を考えた「その

時」の句でもありますし、30は旅体の句でもありますね。

前句の「その人」を考えた句の中で、他人を詠んだ句でも前句の職人さんではない内容とみなせる句は

放映の料理自慢の男たち　36
跡継ぎの若者動作きびきびと　37
中卒でリュック一つで修業しに　38
○老舗（しにせ）つぐ息子は茶髪高校に　39
助（すけ）っ人（と）に来ては小金（こがね）を借りて行き　40
一堂に郷里の巨匠集まりて　41
賑やかにグルメツアーの繰りこみて　42
接待に馴れし役人床を背に　43
常連は大吟醸の品さだめ　44
こまごまと書かれし母の荷が届き　45

でした。この中で42は旅体の、そして43は時局の句でもあります。

「その人」を考えた中で、自分自身を詠んだ句、あるいはそうみなせる句は次の46～60でした。

吟行の名所巡りはひと日終え　46
○リストラの友呼び出して励まさん　47
古里の幼友だちなつかしく　48
故郷の自慢は酒を飲みながら　49
太閤と名付けし地酒飲み干して　50
旬の味盛った器に魅せられて　51
気がつけば知らずしらずにボトルあけ　52
気もそぞろ足の痺れを持てあまし　53

ようやくに親を呼ぶ日の近づきて　54
降りやまぬ雨うとましく呆然と　55
最悪の金融不安つのりきて　56
町おこし振興券を懐に　57
暫くは不況の風も忘れたる　58
念願の老舗(しにせ)に憩う旅の果　59
職退(ひき)きてグルメの旅を西東　60

この中で、46・59・60は旅体の句、47・56～58は時局の句ですね。

さて、これまでの流れを見ますと、もう一句位は人間が登場したほうがよさそうです。そこでここでは29を治定することにしましょう。

極道の果ては他国に流れ住み

前句の鱧を料理している人間を、賭博等が好きで一個所に落ち着かず庖丁一本持って全国を渡り歩いている人と見立てたのです。

次は雑または春の短句をお願いしましょう。普通、歌仙では裏十一句目辺りが花の句となります。（これを花の定座(じょうざ)といいます）。そこで、次に春の句を付ける場合は、その次が花の定座であることを考えて、植物の季語は避けるようにした方がよいのです。

十六　裏十句目

裏八句目　年季入りたる鱧(はも)の骨切り
裏九句目　極道の果ては他国に流れ住み

さて裏十句目の治定にとりかかりましょう。ここでは雑または春の短句をお願いしてありました。そして花の定座の前でした。

マジシャンとなるパリのサーカス　1
墨堤(ぼくてい)にある青テント群　2
琉球風土記山積みにして　3
コソボの空は黄沙巻き上げ　4

これらの句はいずれも地名の句ですね。
実は、大打越（裏七句目）が

はんなりと葵祭の昼の月

と京都という地名を暗示する句でした。地名を出すとすればもう少し離れてから（違う折で、すなわち名残の折で）、そして葵祭の意味する京都ではない場面をお願いしたいのです。また、4の句は空を詠んだ難点もあります。というのは、前にあげた葵祭の句は月の句で、空の景色です。すなわち、空の景色の句が近いのです。

行く方も告げず流れゆく雲　5
白雲うかぶ暖かな日日　6
山の彼方に消えるジェット機　7

弥生の空にご詠歌の声　8
山の彼方に消ゆる鳥雲　9
はるか彼方にかかる初虹　10
先祖の田畑かかる初虹　11

これらの句も同様に空の景色ですね。また、5の句は「流れ」という言葉が前句にありますし、6の句は「白」という字が四句前にあります。同じ字や留め字は五句位離した方がよいのです。さらに9の句には「鳥」という字がありますが、この字は発句にありました。発句に使用された漢字は印象が強いので、その後は出さない方がよいのです。

陽炎立てる川沿の道　12
呼子鳥なる鳥の声する　13

同様に、12の句も前句に「道」の字がありましたし、13の句は「鳥」の字が気になりますね。さらに、8の句の内容は、ご詠歌であって釈教の句です。この折には裏一句目に

ひやひやと和尚の読経長びける

と、釈教の句が出ていました。

父母の忌日に思う故郷　14

この句も「忌日」と釈教です。

復活祭の鐘が鳴りいて　15
聖母ひっそり壁のくぼみに　16

これらの句は釈教ではないと思います。（キリスト教関係の句が釈教か神祇かはいつも問題になるところです）。しかし、前に出た葵祭の句は神祇（神社や神事に関係

したこと）です。つまり、この折には釈教とか神祇といった宗教関係の句がすでに出ています。このような内容の句を出すとすれば別の折（名残の折）にして欲しいのです。

老妻ひさぐ小商いなる　17

この句は恋の匂いは非常に薄いのですが、やはり「妻」とか「嫁」という字は恋の句、あるいは恋の句を次に持って来る感覚の句（恋の呼出しといいます）となる危険があります。歌仙では、恋の場面は二個所欲しいのですが、同じ折では変化がありません。この折（裏の折）では裏五・六句目で恋の場面は終っています。

何處（いずこ）ともなく響く三弦　18

この句は前に述べた欠点はないのですが、なんとなく葵祭の句に戻る感じがあります。

発明品で会社の社長　19

短句の下七では四音三音あるいは二音五音になると、調子が悪いのです。口に出して読んでみてください。たとえば

発明品で会社たちあげ

とでもしたらどうでしょうか。

それでは予選通過の句に移りましょう。まず雑の句で、前句「その場」を考えた叙景あるいは叙景とみなせる句は次の20〜35でした。

○馴染みとなりし公園の鳩　20

○ダムの工事も近く完成　21

天井裏のねずみがさごそ　22
湯煙あがる山の隠れ湯　23
トテ馬車走る山の湯の町　24
雨もあったり晴れもあったり　25
つむじ風来て舞い上がる塵　26
置かれしままの愛車埃で　27
○転がしてある空(から)の徳利(とっくり)　28
○軒をつらねし小さきアパート　29
○まがりくねった路地の急坂　30
○村のはずれに朽ちた望楼　31
○町騒へだてかしぐ老屋(ろうおく)　32
○言ってきかせる主なき猫　33
高層ビルの窓はキラキラ　34
○生まれ故郷に似たる山川　35

次に雑の句であって、前句から想像される人間が登場する句に移りましょう。

あっけらかんとポルシェ走らす　36
故里思う難民の群　37
亡き父母偲びひとり酌む酒　38
風の便りに聞きし母の死　39
近所の人と俳句三昧　40
人間臭き町が愛(いと)しく　41

38と39は無常の句でもあります。釈教と違う点に注意して下さい。

春の句の中で叙景は次の42～52でした。

子猫がじゃれて茶碗ころがり　42
おたまじゃくしの数も減りゆく　43
○ぎっこぎっこと軋むふらここ　44

○風にふらここひとり揺れいる　45
○藁屋しっとりつつむ春雨　46
山山笑う遠き故里　47
残雪きらと光る向(むか)つ嶺　48
○焼野の果てに続く山脈　49
いつも変らぬあたたかき風　50
蟻穴を出で挑みつづける　51
○日永の縁で背伸びする猫　52

最後に、春の句で人間が登場する内容の句は次の53〜57でした。

母よりうまくこげるぶらんこ　53
行きつ戻りつ春泥の中　54
おふくろの背に注ぐ春の陽　55
耳を澄ませば雪解の音　56
高き囀りふりかぶりつつ　57

さて、これまでの流れを見ますと、そろそろ叙景の句が良さそうですね。そこでここでは、46を治定しましょう。

藁屋しっとりつつむ春雨

歌仙の中で一句は雨や雪の句が欲しいのです。この句は細い糸のような春の雨が藁葺きの家を包んでいる景色です。前句の人がそこに住んでいると見立ててもよいし、そのような田舎を過去に通ったことがある、とも考えられます。

次は、歌仙では花の定座と呼ばれていて、

花の句が欲しい所です。前にも述べましたように、歌仙では花の句が二つ要求されています。春の場面で花の句がないことを「素春(すはる)」といって嫌います。連句で花といえば桜の花のことです。勿論そこは長句です。

十七　裏十一句目

裏九句目　極道の果ては他国に流れ住み
裏十句目　藁屋しっとりつつむ春雨

さて裏十一句目の治定にとりかかりましょう。前に述べたように歌仙には花の句の場所が二個所欲しいのです。その一つが普通ここの裏十一句目の所で、花の定座といわれています。なお、花の句を引上げることもあります。逆にこぼすと、裏の折の最後となって短句となります。そのため、花の定座は引上げることはあっても、こぼすことはほとんどありません。

立て札は古びて読めず村さかい　1

この句は前句にはよく付いていますが、雑の句になってしまいました。ここは花の句をお願いしていました。

季満ちて梢にあふる桜花かな　2

この句は俳句のようですね。それは「かな」という切字を使っているからです。「かな」といった切字は付句には普通用いません。その理由は連句一巻の中で、その切字の個所に焦点が合ってしまうからです。つまり、連句の流れがそこでストップしてしまうのです。

暫くは掛けっ放しの花衣　3

前（裏六句目）に

朱い衣桁に掛けし白無垢

という句がありました。似ていますね。

散る花を眺め偲びぬ西行忌　4

この句は感覚的には薄いのですが、「西行忌」というと釈教の句になってしまいます。この裏の折には裏一句目に

ひやひやと和尚の読経長びける

という釈教の句がありました。人名を出そうとした意図はわかるのですが。またこの句も俳句のようですね。それは「偲びぬ」の「ぬ」が切字のようだからです。

花びらが狛犬の背に張りついて　5

狛犬というと神祇の句になります。この折には感覚的には弱いのですが四句前（裏七句目）に

はんなりと葵祭の昼の月

という祭を詠んだ神祇の句がありました。

前栽の楊貴妃櫻あでやかに　6

前（表五句目）に

前栽の松にかかれる望の月

と「前栽」という字が登場していました。

花の庭牛にわとりも一員に　7

「前栽」は前庭のことですから、この句も「庭」の字が気になりますね。また「一」の字は発句に

寒凪は一鳥抱きて碧濃くす

と使用されています。発句に用いられた漢

字は印象が強いので、その後なるべく使わない方がよいのです。

次の

小流れに花の一と片ただよいて　8

も「一」がありますね。

爛漫の花明りする千鳥足　9

この句は発句にある「鳥」の字が用いられていました。

茶をすすり障子閉ざして花の冷え　10

「障子」は冬の季語です。春の季語としては「春障子」というのがあります。付句には季語が二個所あってもかまいませんが、その場合は同じ季節の季語でないと困ります。（この点、季語の再検討がそろそろ必要かもしれませんね。たとえば「足袋」も冬の季語に登録されていますが、江戸時代の俳諧では季語ではありません）。

かがり火に映えてなまめく夜の花　11

この句は前句の「春雨」にやや無理のようです。

花守の散りゆく花をいとしみて　12

この句は打越（二句前すなわち裏九句目）の人間と何か通ずる危険があります。つまり、若い頃は極道の生活を送った人が老年に花守となって余生を過ごしているともとれるからです。ここで人間を詠むとすると他人の内容の句は同じような点に注意しなければなりません。

それでは予選通過の句に移りましょう。

まず前句からどのような人間を考えたのか、つまり「その人」の考えの句は先程述べましたように打越に戻らないようにしなければなりません。この場合は自分自身を詠んだ句がよさそうですね。そのような人間が登場する句は次の13〜21でした。

佇みて踏むをためらう花の屑　13
立ち止まる所に句箱花の郷（さと）　14
咲きみちし故里の花まならうらに　15
友待ちて花一枝を壺に活け　16
花の宵杯（はい）もめぐりて句座楽し　17
散り急ぐ花を惜しみて佇（た）ちつくし　18
花明り灯さずに酌む独り酒　19
名にし負う薄墨の花訪ね来て　20
「ジパング」の花の便りに誘われ　21

次に前句がどのような場所を想像させるか、つまり「その場」を考えた叙景の句は次の22〜58でした。

池水にしだれ桜のとどきいて　22
せせらぎに寄りつ離れつ花筏　23
亀鳴いて組直さるる花筏　24
○こぼれては水車にからむ花の屑　25
花びらはおたまじゃくしの帽子なる　26
○ひたむきに過去を語りてダムの花　27
大枝垂花の由来の碑のありて　28
ようやくに花咲き初むる暖かさ　29
花大樹しろじろ匂う七分咲き　30
淡々と色づきそめし土手の花　31
故里の桜はいまだ蕾にて　32

十七　裏十一句目

向つ嶺を淡く染めいる残る花　33
たおやかにうち重なりし花の房　34
城跡の句碑にしだるる花大樹　35
花大樹里人の影小(ち)さく見え　36
山裾は雲か霞か残る花　37
遅咲きの花誇らかにしだれいて　38
山々は万朶の花に彩(いろ)どられ　39
里山の花はひそかに咲き満ちて　40
師の句碑を包むが如く花吹雪く　41
落花吹き溜り人待つ敷莚(しきむしろ)　42
散り惜しみ散り惜しみつつ花寂びて　43
咲き満てる花の命は短くて　44
ほつほつと花雪洞(ぼんぼり)のうるみがち　45
○花の香に釣釜ゆらぎのどかなる　46
○花明り襖絵の亀鳴けるやに　47

お花見の回覧板がまわり来て　48
○花満ちて文化遺産は守(も)りつがれ　49
南から北へと続く花便り　50
○煙(けむ)吐きてD51走る花の中　51
まぼろしの花の構(かま)えのゆるぎなく　52
○花明り民話教室ひらかれて　53
○樹木医にいのち守られ花大樹　54
降りそそぎ降りそそぎ積む花の丘　55
○花の陰出土せし壺飾られて　56
○ぬかるみに花筏どち通りゃんせ　57
しだれたる花に仔馬のいななきて　58

さて、これまでの流れを見ると、もう一句ぐらいは叙景の句がよさそうです。そこでここでは51を治定しましょう。

煙(けむ)吐きてＤ51走る花の中

春雨に包まれた藁葺きの家の近くにローカル線があって、懐かしいＳＬのＤ51が黒い煙を吐きながら通過しているという田舎の景色です。

次は春の短句をお願いしましょう。そこは裏の折の最後の句となります。これを裏の折端(おりはし)といいます。

十八　裏十二句目

> 裏十句目　藁屋しっとりつつむ春雨
> 裏十一句目　煙(けむ)吐きてD51走る花の中

さて裏十二句目の治定にとりかかりましょう。春の短句をお願いしておきました。

大河ドラマの義士祭くる　1

同じ漢字や留め字は五句位は離した方が変化の点でよいようです。この1の句は「祭」の字が五句前（裏七句目）

はんなりと葵祭の昼の月

の「葵祭」に近いようです。また

山葵漬(わさびづけ)など家苞(いえづと)にせん　2

は内容は全く異なるのですが「葵」という字が使われているのが気になりますね。

蓬餅(よもぎもち)には黄粉(きなこ)たっぷり　3

蝶ひらひらと子等にまつわり　4

シャッターを切る遠足の列　5

等の句は、四句前（裏八句目）に

年季入りたる鱧の骨切り

と「切」という字が使われており、そして「り」留めでした。

「寅さん」節の香具師(やし)ののどけく　6

この句は大打越（裏九句目）の

極道の果は他国に流れ住み

の「他国に流れ住み」といった内容に戻ってしまいます。

点景となり畑を打つ人　7
羽化した畠で乱舞する蝶　8
あちらこちらに種案山子みえ　9
のどけき里の百囀りに　10
野焼もすんで村はうららか　11
お蚕さんの桑を食(は)む音　12
遥かな嶺々に光る残雪　13
日ざし溢れて笑う山々　14
湖(うみ)さざめきて山笑いくる　15
ほろほろ酔えば笑う山山　16

これらは打越（裏十句目）の

藁屋しっとりつつむ春雨

の農村の景色に戻ります。少なくとも都会の景色とはみなせないのではないでしょうか。なお、後で出てくる42も残雪の句ですが、この句は現実の山の景色ではなく、お父さんが撮影したアルバムである点が違います。

土手に休める遠足の子等　17
弥生の空にあがる歓声　18
喚声あげる野遊びの人　19
カメラ構えて雲雀(ひばり)野に佇ち　20

これらの句は、煙を吐いて驀進するD51を詠んだ前句に付け過ぎています。カメラの句は田園風景でなければ面白かったのですが。

それでは予選通過の句に移りましょう。

まず前句の場所に着目した、すなわち「その場」に着目した叙景と考えられる句は次の21〜30でした。

故郷近き風ののどけさ　21
夢を孕みて舞いし風船　22
陽炎もえてゆるる向つ嶺　23
現れては消えてゆれる逃水　24
百囀りの天に溢るる　25
野点の席に蝶の来て舞う　26
里の土産の膝の草餅　27
遥かに霞む魚島の影　28
○黄砂の彼方和平すすまず　29
○ひかり長閑に時は過ぎゆき　30

似た発想の句が多いことがおわかりでしょう。

前句から「その人」に着目して、人間を詠んだ、あるいはそう考えられる予選通過の句は次の31〜48でした。

のどかなひと日旅に昏れゆく　31
憂世はなれてうららかな旅　32
○長閑な午後に付句案ずる　33
○わらべ歌ふと浮かぶのどけさ　34
母の草餅家づとにして　35
日永顔してひさぐ饅頭　36
思わず放す風船の紐　37
田楽くわえカメラ構える　38
まわすビデオに止まる蝶々　39
シャッター押せば風はあたたか　40
○春ちぎり絵の円座賑やか　41

残雪撮りしアルバムの父　42
○シャボン玉吹き還す遠き日　43
双子姉妹の揺らすふらここ　44
○老いの出番に暖かきお日　45
○タイムカプセル埋めて卒業　46
耳をすませば鶯の声　47
入学式へ揃い行く父母　48

ここでもいかに同じ発想の句が多いかおわかりでしょう。なお、31と32は旅体の句でもありますね。

さて、これまでの流れを見てみますと、ここではそろそろ人間に登場してもらった方がよさそうです。そこで43を治定することにしましょう。

シャボン玉吹き還す遠き日

シャボン玉を吹きながらSLが走っているのを眺めた昔の日、それは作者の幼い日であったことでしょう。その頃を思い出してシャボン玉を吹いているのです。つまりここのD51は思い出の中のSLなのです。

これで歌仙の半分（半歌仙といいます）が終りました。次から名残の折の表に入ります。おおいに発展させて下さい。そこでは雑の長句をお願いしましょう。

十九　名残表一句目

裏十一句目　煙吐きてD51走る花の中
裏十二句目　　シャボン玉吹き還す遠き日

さてここから名残の折の前半（名残表）に入ります。この折では未だ出ていない内容の句で、暴れて欲しい所です。その名残り表一句目の治定にとりかかりましょう。

細道の旅は句友と睦まじく　1
啄木を口ずさみつつ試歩の道　2
数多き野口雨情の唄うたい　3

同じ漢字や留め字は五句位は離した方が変化の点でよいのです。この1と2の句は「道」という字が四句前（裏九句目）に

極道の果ては他国に流れ住み

と「極道」で出ていました。また3は「雨」という字が三句前（裏十句目）

藁屋しっとりつつむ春雨

の「春雨」に近いようです。

孫といて我が人生で煌めきの刻　4
刻忘れみすずの童謡読みふける　5
大空にぽっかり浮かぶ漂泊の雲　6
飛行機雲ひとすじのびて山に消え　7

連句の付句では、字余りや字不足は感心出来ません。その所で、連句の流れが停滞

するからです。4は下五が字余り、5では中七が字余り、6では下五が字余り、そして7では上五が字余りです。

秩父嶺に這う白雲のなつかしく　8

みちのくの風やんわりと頬かすめ　9

疲れたる馬の湯治場繁盛し　10

歳時記と句帳バッグに旅に出て　11

これらの句は打越（裏十一句目）の

煙吐きてD51走る花の中

あるいは大打越（裏十句目）の

藁屋しっとりつつむ春雨

に戻る感じがします。

新都心合同庁舎着々と　12

デパートの閉店セール相次いで　13

デパートのリフォーム展は賑わいて　14

門前の元祖と掲ぐのどの飴　15

再会は大吟醸の並ぶ店　16

教会の十字架光る空仰ぎ　17

清明の天安門を仰ぎつつ　18

これらの句はみな建物に関係した内容ですね。大打越に「藁屋」という建物が出ていますから、遠慮してもらいましょう。

それでは予選通過の句に移りましょう。ここでの前句の見立ては前に述べましたように過去の思い出なのですが、その人間を自分自身とするか、それとも他人とするかの二通りが考えられますね。いずれにせよ、叙景と考えられる句よりも人間の感情を詠んだ内容の句が圧倒的に多かったのです。

まず自分自身のことを詠んだ句は、次の19〜41でしょうか。

アルバムを出せば思い出セピア色　19
輩（ともから）と師の到着を待ちわびて　20
○亡き父母は安けく黄泉（よみ）に在（おわ）すらん　21
ふる里の酒の旨さにほろ酔いて　22
○登記簿が綴る変遷夢のあと　23
われかつて野球少年名投手　24
山となるアルバム整理やっとすみ　25
太閤の銘の地酒をしみじみと　26
息を呑む敦煌（とんこう）壁画眼前に　27
父母若く祖父母やさしく大家族　28
アルバムはセーラー服の君と僕　29
惚（ほう）けたる父を相手に酒を酌み　30
念願の自分史作り取りかかる　31
まどろめば映画女優の夢かない　32
○お稲荷に祝店の酒お供えし　33
病癒え今ある幸をひしひしと　34
手術待つ不安つのりて寝もやらず　35
少しずつ成人病を身に覚え　36
職なくてベンチに憩う時重ね　37
リストラの友を思えば酔いもさめ　38
ヴェネチアの運河で聴きしカンツォーネ　39
怖いことグリム童話にあると聞き　40
酌み交し芭蕉蕪村を比較せる　41

この中で21は無常の句、27・39は地名の句、29は恋の句、33は神祇の句、34〜36は病体の句、そして40・41は人名の句でもありますね。

人間でも自分自身の句とも考えることが出来たり、他人を詠んだ句、あるいはそうとも考えることの出来る句は次の42〜64でしょうか。

サーカスのジンタ響きてそわそわと　42
取りすぎて思案顔なるバイキング　43
手料理のスパゲッティを大皿に　44
少年と少女が飛ばすブーメラン　45
餓鬼大将スーツでいかすクラス会　46
発掘の勘の鋭き指小まめ　47
○職たたれ友はまさかの物狂い　48
赤子背に奇声あげつつ狂女ゆく　49
大病の癒えし恩師はご退院　50
休みあけ怪我人多き外科医院　51
○よみがえる命ドナーのお蔭にて　52
難民となりし暮しに故郷なく　53
きな臭き予言飛び交う世紀末　54
不況には負けじと皆で町起こし　55
○君が代の是非をめぐりてきりもなく　56
○君が代の「君」をいまさらあげつらい　57
啄木は肩肘を張る癖を持ち　58
葡萄酒の酔いのまわりしアルカン　59
こわごわとパンドラの箱開けてみん　60
○紙芝居「河童駒引」さてもさて　61
並び建つ「武蔵・小次郎」碑は高く　62
「のらくろ」の本を兄弟とり合いて　63
脚光を浴びて松坂初勝利　64

この中で48と49は狂体の句、50・51は病体、さらに52は病体で無常、53〜57・64は時局、58・60・62・64は人名の句ですね。

さて、これまでの流れを見ますと、ここはそろそろ人間に登場してもらった方がよさそうですね。そこでここでは52を治定しましょう。

よみがえる命ドナーのお蔭にて

シャボン玉を吹いている人は、重病からやっとドナーのお蔭で回復したのです。一命をとりとめた思いの中で、しみじみと過去のことを偲んでいるのです。その背後には亡くなったドナーがいるのです。したがってこの句は病体と同時に無常の句でもあります。この人は自分自身とも、他人とも考えられますね。

次は雑の長句をお願いしましょう。

二十　名残表二句目

裏十二句目　　シャボン玉吹き還す遠き日 名残表一句目　よみがえる名ドナーのお陰にて

さて名残表二句目の治定にとりかかりましょう。雑の短句をお願いしてありました。

絵手紙にそえたくす一言　1
雪晴れわたる紺碧の空　2
屋敷稲荷にあげる油揚（あぶらげ）　3
泪とともに捧ぐ一炷　4

発句に用いられている字はその後ずっと避けた方がよいし、また同じ字や留め字は五句位は離した方がよいのです。この1と4の句は「一」が、2の句は「碧」の字が発句の

寒凪は一鳥抱きて碧濃くす

の「一鳥」と「碧濃くす」に障りますし、3の句は「屋」の字が五句前（裏十句目）の

藁屋しっとりつつむ春雨

の「藁屋」にありました。

ロンドのリズムさやかに流る　5
輪舞の曲のさやかに流る　6

この両句は下七が四音三音で調子が悪いですし、さらにこの歌仙ではかなり離れて

いますが、裏三句目に
　コンサート開演前の静もりに
という音楽に関係した句がすでに登場していました。
　にっこり笑う吾子抱き上ぐる　7
　五臓六腑に泌む酒の味　8
　見聞するものみな新しく　9
この三句は下七が二音五音で調子が悪いですね。
　傘寿を祝う便りをしたため　10
　スペースシャトルは女船長　11
これらは字余りになっています。連句の付句では字余りや字不足の句を避けた方がよいのです。そこでたとえば
　傘寿を祝う便りしたため
　スペースシャトル女船長
と一字を取ればよかったのではないでしょうか。
　母の忌を修すはらから集まりて　12
この句は長句になってしまいましたね。
　聖富士登山夢にはあらず　13
「登山」は夏の季語ですから、この句は夏の句になってしまいました。
　くっきり晴れて故山美わし　14
　拭いしごとき空につつまれ　15
　きらりきらりと湖の細波　16
これらの句は大打越（裏十一句目）の
　煙吐きてD51走る花の中
に何か戻る感じ（似た感じ）があります。
　遺言状はそっと捨てたり　17

友の遺句集しみじみと読む　18
簞笥の遺書の反古となりたる　19
遺産相続又もおあずけ　20

この前句は病体でもありますが、「ドナー」となると無常の内容も含んでいるのです。ですから遺言・遺書といった無常の句は避けた方がよいのです。

それでは予選通過の句に移りましょう。
まず前句から人間を考え、しかもそれが自分自身の句、あるいはそう考えられる予選通過の句は次の21~46でした。

○ひりひり痛き恋もしようよ　21
娶る話もちらりほらりと　22
妻と手を取り参る氏神　23
夫の便りを飽かず眺める　24
パートナー得て夢に突進　25
共白髪まで相思相愛　26
晴れやかに酌む美酒に陶酔　27
禁酒の誓い確と守りて　28
ビデオ楽しむ夕食の膳　29
未来に夢を抱くこの頃　30
心ふくらみ旅の話も　31
大活劇を若きらと観る　32
久方に見る美しき富士山　33
朝げ・夕げの旨さかみしめ　34
○世俗の風を強く受けとめ　35
南無観世音施願印する　36
片手拝みに名も知らぬ宮　37
お酒供えて拝む神仏　38

朝なタなにミサに加わり　39
パソコン叩きつづる自分史　40
余生しずかに俳句三昧　41
定年過ぎて習う盆栽　42
心しずかに朝の手習い　43
インターネット楽しみとなる　44
反古(ほご)と丸めし居酒屋のつけ　45
お守り袋肌身はなさず　46

この中で38・46は神祇・釈教の句、37は神祇の句、36は釈教の句、21~26は恋の句、31は旅体の句、33は地名の句、さらに23は恋でもあり神祇の句でした。

人間を詠んだ中で内容が他人あるいは他人とみなせる句は次の47~50でした。

○すんなり渡す葬頭河(そうずが)の婆(ばば)　47
○狂わんばかり妻の声呼び　48
乗馬も良いしテニス・野球と　49
相田みつをの本が送られ　50

この中で50は人名、47は釈教、そして48は恋と狂体の句でした。

それでは次に叙景あるいは人間が出てきていないと考えられる句に移りましょう。

○ワイングラスの光る食卓　51
○光(かげ)やわらかきステンドグラス　52
○福招く猫でんと居すわり　53
○天井うずめ下がる折鶴　54
紙上にぎわす保険金詐欺　55
○不死の銘菓をひさぐ仙境　56

○神の掟は高きハードル　57
○仕事の鬼がそろりそろりと　58
○朝の紅茶に浮かぶ金の輪　59
　還暦祝う孫の絵手紙　60
○衛星往き来空のわが庭　61
○電池新たに時計かちこち　62

この中で57は神祇の句です。

さて、これまでの流れを見ると、ここはそろそろ室内に入り、そして叙景の句がよさそうですね。そこでここでは54を治定しましょう。

天井うずめ下がる折鶴

病室とみてもよいし、手術後で帰宅した自宅の部屋とも見ることが出来ますね。天井から愛情のこもった折鶴の束がびっしりと下がっているのです。

次は雑の長句をお願いしましょう。

二十一　名残表三句目

名残表一句目　よみがえる命ドナーのお陰にて
名残表二句目　天井うずめ下がる折鶴

さて名残表三句目の治定にとりかかりましょう。雑の長句をお願いしてありました。

日蝕を一目みたくて煤ガラス　1
日々努力優勝戦を迎えたる　2
昇天はいずれにせんかついの日の　3
室に満つ花束の香を惜しみつつ　4
老いた母真ん中にして撮る写真　5

発句に用いられている字はその後ずっと避けた方がよいし、また同じ字や留め字は五句位は離した方がよいのです。その理由については、これまで度々言ってきましたからおわかりですね。この1の句は「一」と「日」の字が発句の

寒凪は一鳥抱きて碧濃くす

と、三句前（裏十二句目）の

シャボン玉吹き還す遠き日

の「一鳥」「遠き日」に障りますし、2と3の句にも「日」の字がありました。また、4と5の句は四句前（裏十一句目）の

煙吐きてD51走る花の中

の「花」や「中」の字に触れます。

ゆり籠の嬰児(やや)は無心に手をのばし　6

この句は前句によく付いています。しかし、この歌仙ではかなり離れてはいますが表六句目の

団栗にぎり眠る幼な児

と何か似ていますね。

試歩の道見馴れし景色新しく　7

打越（名残表一句目）が病体の句ですから「試歩」という病体の句は面白くありません。

ダイレクトメールに目奪われて　8

誕生会準備万端整いし　9

8は中七が字不足に、9は上五が字余りです。連句の付句では字余りや字不足の句を避けた方がよいのです。その理由についても前に述べましたからおわかりですね。

老いの身をいたわりながら旅つづけ　10

汁冷めぬ距離に娘(こ)は住みボランティア　11

出生の秘密を知りし驚きに　12

これらの句は前句から離れすぎています。

それでは予選通過の句に移りましょう。まず前句から人間を考えて、しかも自分自身を詠んだ句、あるいはそう考えられる予選通過の句は次の13〜29でした。

家族宴絵はがきにして友だちに　13

祖母かこみ長寿を祝う唄あふれ　14

つつましく生きて子宝のみ多く　15

優勝を待つ故郷(ふるさと)の父母教師　16

モーニングサービス目当喫茶店　17

海外へ単身赴任本決まり　18
内職の納期迫れば忙しく　19
賑わいの門前町で買う土産　20
○不倫の子なれど幸せ願いつつ　21
赤い糸飛び去る前に結びたい　22
消えやらぬ面影浮かびゆれる胸　23
「いせ辰」の便箋に書くラブレター　24
置き手紙つのる思いを切々と　25
君慕い愛の告白詩に綴り　26
紛争の外地赴任の夫（つま）を恋い　27
唇を重ね人目を憚からず　28
不倫でも「愛してます」とまっしぐら　29

この中で21～29は恋の句、あるいは恋の呼出しの句と考えられますね。

次に人間でも他人を詠んだ他の句、あるいはそう考えられる句は次の30～40でした。

保育所の保母はみんなと手をつなぎ　30
給食のお祈りをする園児達　31
師の白寿祝う宴（うたげ）は賑やかに　32
リストラで首うなだれる管理職　33
語り継ぎ祈る小百合が慟哭詩　34
地震（ない）の地の支援活動行なわれ　35
宇宙へと飛び立つ夢の叶えられ　36
○教室に多角の恋のさやとがめ　37
○子育ての未婚の母はたくましく　38
人妻の恋の駆け引き軽く受け　39
法外な慰謝料払う浮気夫（つま）　40

この中で33・35・36は時局の句、34は人名の句、そして37～40は恋の句ですね。

それでは次に前句から叙景あるいは人間が出てきていない内容を考えた句に移りましょう。

険しくも恋の峠のログキャビン　41
駅前のダンス教室繁盛し　42
○襲名の披露に絶えぬ脂粉の香　43
見学者絶えぬ原爆資料館　44
腰掛は樽そのままの縄のれん　45
○マリア像密かに隠れ切支丹　46
○テーブルに童話の本は閉じたまま　47
少子化であき教室がふえつづけ　48
漸くに改築なりし保育園　49
窓に見る大空深き海の色　50
松島のプロペラ船は音軽く　51
○語り部の声とぎれたる風の音　52
ジャパニーズオブジェモビールなど洒落　53
はてしなき北の湿原晴れわたり　54
大丈夫「ちちんぷいぷいおん宝」　55
○華やぎはあるかなきかの風にこそ　56
紙面では地震(ない)の惨状報ぜられ　57

この中で41は恋の句、46は神祇の句、51は地名の句、48・57は時局の句です。

これらの句はご覧になればおわかりのように、折鶴が下がっている部屋そのものに焦点を当てたもの、あるいはその折鶴が下がった部屋が暗示する内容を詠んだものに大別することが出来ます。

さて、これまでの流れを見ますと、ここ

は叙景の句がよさそうですね。そこでここでは52を治定しましょう。

語り部の声とぎれたる風の音

天井から折鶴が下がった部屋は語り部の話を聞く場所なのです。その語り部の話がつと途絶えました。外の風が窓を鳴らしているのです。

次は雑の短句をお願いしましょう。

二十二　名残表四句目

名残表二句目　天井うずめ下がる折鶴
名残表三句目　語り部の声とぎれたる風の音

さて名残表四句目の治定にとりかかりましょう。雑の短句をお願いしておきました。

山の麓の暗き曲り屋　1

五句以上離れてはいますが、裏十句目

藁屋しっとりつつむ春雨

の「藁屋」の存在が気になります。両者とも農村の建物なのです。

彫られし龍は甚五郎作　2

面白い人名の句ですが、この彫り物は恐らく欄間あたりにあるのではないでしょうか。そうなると打越の「天井」といった建物の一部と観音開きになってしまいますね。

老舗(しにせ)ののれん褪(あ)せてほころび　3

この句も同様に打越の室内の句が気になります。

臨界事故の報(しら)せ突然　4

TVニュースはトルコ地震を　5

時局の句を出そうとした意図はよいのですが、ここでは無理でしょう。55のように災害を一般的に扱えば、過去の追憶になりますので「語り部」に付きます。

世界遺産の奈良の古寺院　6

裏七句目の

はんなりと葵祭の昼の月

は、地名ではないが京都の句です。ここでは名残の折に入っていて、折が違いますから地名を再びこの折で出してもよいのですが、奈良は京都に近いのです。

雨に打たれて帰路を急ぎし　7
アベック少し列に遅れて　8
しずかに暮るる學生の街　9

これらは前句と離れ過ぎていますね。

屋島追わるる平家一門　10
腰をのばして一寸息ぬき　11

発句は

寒凪は一鳥抱きて碧濃くす

で、「一」という字が使われていました。

五十周年祝う中国　12
猫の目光る暗闇の中　13

同様に、五句位前までの間に出てきた字や留め字も使わない方がよいのでした。これらの句では「中」の字が五句前の

煙吐きてD51走る花の中

に触れるのです。

行灯（あんどん）の灯が不気味に揺れる　14
足がしびれる茶の湯の稽古　15
耐えて生き抜く熱意は堅く　16
殺人狂に恐怖のるつぼ　17
地震報道悲しきしらせ　18
意見さまざま町会事務所　19

これらの句は下七が四音三音ですね。この

形は語調が悪いのです。

老いも若きもいまボランティア 20

ほろ酔いながらふと身震いし 21

これらの句は下七が二音五音ですね。これも調子が悪いのです。

父母交え乾杯和やかに 22

この句も確かに指を折れば七七ですが、言葉の調子が悪いのですね。

ふと浮かび来る亡母(はは)の面影 23

知覧上空消えし若武者 24

これらの句は無常の句ではないでしょうか。

そうなると名残表一句目の

よみがえる命ドナーのお蔭にて

の「ドナー」が近いのです。

それでは予選通過の句に移りましょう。

まず前句から人間を考えて、しかも自分自身を詠んだ句、あるいはそう考えられる予選通過の句は次の25〜40でした。

心尽しの茶菓の接待 25

熱い番茶にほっと息つき 26

竹馬の友と地酒酌み合い 27

大皿盛の煮〆ほおばる 28

莨(なこ)をやめてしゃぶる飴だま 29

取材ノートにペンを走らす 30

胸に浮かぶは父母の顔 31

なみだで拝む黎明の塔 32

負い目気にせず駆け落ちの旅 33

摩文仁(まぶに)の丘でふっと寄りそい 34

○胸ぞこゆする面影の女(ひと) 35

ふと胸横切る彿の人　36
○忍ぶこころの時にたかぶる　37
○古傷をさす恋の遍歴　38
失恋の傷癒ゆることなき　39
ほろ酔さめて金婚の旅　40

この中で33～40は恋の句、32・34は地名の句、そして33・40は旅体の句ですね。

人間が登場する句の中で、他人を詠んだ他の句、あるいはそう考えられる句は次の41～53でしょうか。

熱い番茶を配るご亭主　41
庭苔をふむ気配ひそやか　42
課外授業はみんな熱心　43
お巡りさんも交じる車座　44
厚底靴の娘(こ)らも神妙　45
そっと涙を拭う老妻　46
金婚式に集うはらから　47
夫婦二人の沖縄の旅　48
熟女熟男被爆地の旅　49
嗚咽(おえつ)にゆれるノーブラの胸　50
草原疾駆遊牧の民　51
旅の終りのひめゆりの塔　52
品よき嫗(おうな)茶をいれに立ち　53

この中で45～50は恋あるいは恋の呼出の句、48・49・52は旅体の句、そして48・52は地名の句でもありますね。

それでは次に叙景あるいは人間が出てきていないと考えられる句に移りましょう。

おひねりは皆義捐金なり　54
事故発生に響くサイレン　55
○底なし沼の河童恋する　56
悲恋の果ての湖(うみ)の精とか　57
○山姥(やまうば)のいる気配なまぐさ　58
魔物出るかと心どきどき　59
○又三郎が通りすぎしか　60
○座敷わらしはそも誰の子ぞ　61

この句は「座敷」という言葉がありますが、実際の建物の一部ではなく「座敷わらし」なのです。その点が2、3と違うのです。

新世紀にも平和つづけと　62
唐臼(からうす)ひとつまじる飛石　63

この句の「ひとつ」に注意して下さい。「一つ」とすると発句の「一」にひっかかるのです。このような作り方があることを知っておいて欲しいのです。

山並美(は)しき夕暮の空　64
○姨捨山は今も信濃に　65
○回り続けるテープしらじら　66
揺れ通しなる山の吊り橋　67
古い書物の開かれしまま　68
傍らに置く地酒芳ばし　69
懐メロ流しよろず屋のくる　70

さて、これまでの流れを見ますと、ここでは人間を詠んだ、それも自分自身を詠んだ句がよさそうですね。そこでここでは38を治定しましょう。

古傷をさす恋の遍歴

今まで聞いていた語り部の話から昔の数々の恋を思い出し、胸が痛みます。これでこの折にやっと恋が出てきました。

次は雑の恋の長句をお願いしましょう。前の折（裏の折）の恋と違った恋に展開してください。

二十三　名残表五句目

名残表三句目　語り部の声とぎれたる風の音
名残表四句目　古傷をさす恋の遍歴

さて名残表五句目の治定にとりかかりましょう。ここでは雑の恋で長句をお願いしておきました。

ハンケチを拾われ縁(えにし)深まりぬ　1

ハンケチ（ハンカチ）はいつでも使うものですが、歳時記の上では夏の季語なのです。（そろそろ歳時記の内容を見直す時かもしれませんね）。

ぬか雨の名残にしとど胸濡れて　2

五句以上離れてはいますが、裏十句目

藁屋しっとりつつむ春雨

の「春雨」の存在が気になります。連句では降物(ふりもの)といって雨や雪等の句が欲しいのです。百句つづく百韻あるいは五十句の五十韻など、後の付録で紹介する長い形式の連句では降物が二個所あってもよいでしょうが、三十六句構成の歌仙では一句で充分でしょう。

かけ落ちも昔の事よ地酒酌み　3
忘却の俤人が夢に出て　4
忘却と口ずさみつつ泪する　5

これらの句は五句前（裏十二句目）

シャボン玉吹き還す遠き日

に何か近い感じがします。

年は過ぎ心に残る人の逝き　6

心中の片割れとなりつつましく　7

これらの句は無常の句でもありますが、四句前（名残表一句目）の

よみがえる命ドナーのお蔭にて

も無常の句なのです。

女医として僻地医療に携わり　8

この句も病体としますと、「ドナー」が近いようですね。

ブルースで君忘れじと偲びつつ　9

この句は、内容がブルースという音を詠んでいますが、そうなると二句前の句

語り部の声とぎれたる風の音

の「風の音」と音の観音開きとなります。つまり感覚がそこに戻ってしまうので、連句では観音開きとなることを最も嫌うのです。

ワイドショーやらせどこまでエキサイト　10

敦煌（とんこう）に天平文化の夢を見る　11

これらは恋とは離れているようですね。また11は中七が字余りです。

花嫁はヴァージンロード粛々と　12

この句は、前の恋の個所の挙式を暗示した

朱（あか）い衣桁（えこう）に掛けし白無垢（むく）

という句に近い感じです。歌仙では恋の場面は二個所欲しいのですが、その場合、内

容の違った恋が要求されるのです。

踊り娘の指の細さがもの云うて　13

あんな日もあったと二人肩をよせ　14

逆玉に乗りたいばかり彼女すて　15

五句位前までの間に出てきた字や留め字は使わない方がよいのです。これらの句は13は「て」留めが、14は「日」の字が、そして15は「玉」の字が近いようです。

それでは予選通過の句に移りましょう。

ここの付句は、前句の人物を男性と考える、女性と考える、どちらともいえるといった三通りの案じ方がありますね。さらにそれぞれ、その人物が現実の人間（ここでも自分か他人かの二通り）とそうではない場合に分けることが出来ます。

まず前句の人物を男性とみなして詠んだ、あるいはそう考えられる予選通過の句は次の16～23でした。

共白髪世話女房とむつまじく　16

糟糠の妻は明るく子ぼんのう　17

逢うまじき女(ひと)と出合いし気まずさに　18

美男子で光源氏と噂され　19

○名声も女も富と共に去り　20

○自棄酒に酔えば浮気の虫疼き　21

佳き人の愛の苦言の薬味ほど　22

妻も子も無くて耳順(じじゅん)の年となり　23

19は人名の句でもあります。

それでは前句の人物を女性とみなして詠んだ、あるいはそうと考えられる句に移りましょう。

悔もせずなお艶やかに興じおり　24
○砂に描く彼の名はすぐ又変わり　25
可憐なる悪女の役が大受けに　26
放浪記愛を糧とし綴るペン　27
去り状を未練の筐の奥深く　28
胸を打つ舞台女優の名演技　29
マドンナの映画化されし私生活　30
妖艶なママはマスコミ大嫌い　31
火遊びのあげくに厨妻となり　32
「にごりえ」のお力が帯のしどけなく　33
○愛多き女の虚勢背ににじみ　34
○レッテルの「魔性の女」さようなら　35
○源氏名のままでしおりの句を作り　36
○死のうかと言い寄りし人忘れかね　37
○修羅もまた芸のこやしに名女優　38
○高齢で再再婚で妊れる　39
○イヤリング光らせ夜の街に立ち　40
○愛あれば押しかけますわどこまでも　41
○ミス庶務課経理課長と結ばれし　42
その昔小町と言われ路地住みに　43

この中で30・33は人名の句でもありますね。

最後に、前句の人物が男性とも女性とも解釈できる、あるいはその他の付句で予選通過は次の44〜64でした。

老夫婦茶飲話に華が咲き　44

バトラーもアシュレーも居たオリビエも　45
筐底の文束そっと開けてみし　46
とにかくも銀婚迎う旅の宿　47
面影を抱(いだ)き酌む酒ほろ苦く　48
胸の火の燻り消せぬもどかしさ　49
肩寄せて尽くし尽くされ古希となり　50
貫きし愛終焉の墓場まで　51
歳の差も人種も問わぬもえし恋　52
異母姉妹鄙(ひな)にはまれな器量よし　53
割れ鍋に綴蓋(とじぶた)なれど仲の良く　54
夫婦して守る棚田の世に出でし　55
新札は光源氏をなつかしみ　56
燃えて居た証しの写真胸寄せて　57
旅果てて地酒酌み合う睦まじさ　58
抱きあいてマイクはなさぬ二人連　59
老いらくの愛なればこそ身を焦がし　60
いつの世も男女の仲はドラマめき　61
バツ同士世間の噂気にもせず　62
○許されぬ掟負いつつ求め合い　63
○再婚と離別の数は五指数え　64

この中で45と56は人名、そして47・58は旅体の句でもあります。

さて、たくさんの面白い付句が提出されました。今回は類似句も少ないようです。それだけ展開の幅が大きかったのでしょう。中でも○印の句は捨て難いのです。しかしこのなかから一句しか治定出来ない厳しさがあるのです。ここでは42を治定しましょう。

ミス庶務課経理課長と結ばれし

オフィスの恋ですね。ミス庶務課と呼ばれる、過去に何回も恋の経験のある美しいキャリアウーマンが、遂に経理課長とゴールインしたのでした。これまでの流れで、このところ何か都会色がはっきり出ていないような点が気になっていました。これで都会色が出たようです。打越の「語り部」が職業とすると、職業の観音開きとなりますが、そう見ないでもよいでしょう。普通の人が何か昔語や伝承を語っているとみなしましょう。

次は雑または冬の短句をお願いします。

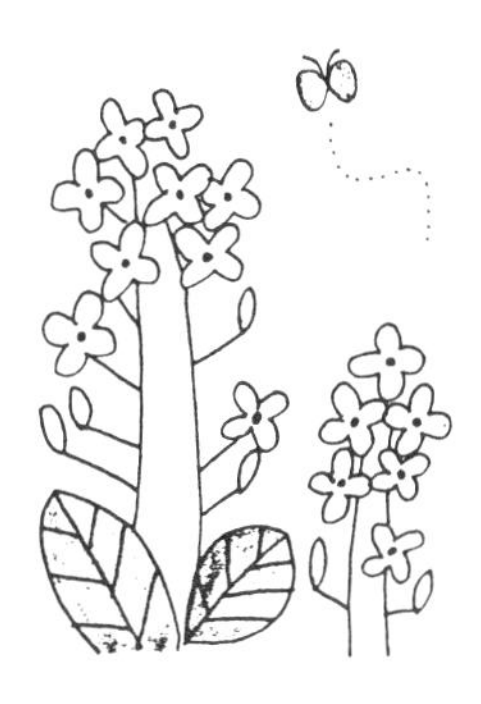

二十四　名残表六句目

名残表四句目　古傷をさす恋の遍歴
名残表五句目　ミス庶務課経理課長と結ばれし

さて名残表六句目の治定にとりかかりましょう。ここでは雑または冬の短句をお願いしておきました。

三つ指つきて夫送り出す　1
トースト焼いてあなたごはんよ　2
バルト三国新婚の旅　3
秘密デートのコース明かさず　4
捨て難くして拾う仲なり　5

これらの句は恋のようですね。恋が二句続いているのですから、そろそろ恋を離れた方がよいのです。このことを恋離れといいますが、恋離れは難しいのです。

招き看板あがる顔見世　6

顔見世は京都の南座の催しものです。この歌仙には「葵祭」という京都の行事がすでに登場しているのです。つまり地名をまた出しても悪くはないのですが、京都あるいはその周辺の地名は避けましょう。

社内の噂消えて淋しく　7

この句は前句にやや付け過ぎです。

焼酎飲めばくだをまく人　8

向いのビルに西日が燃ゆる　9
プールサイドに夕陽照りつけ　10

これらの句は夏ですね。ここまでの流れをみますと、裏七・八句目

はんなりと葵祭の昼の月
　年季入りたる鱧の骨切り

と夏の場が終った所なので、次は前に述べましたように季節をもって来るとすれば冬がよいのです。なお9は下七が四音三音です。

町おこしなるサッカー宣伝　11
どこもかしこもインターネット　12

これらの句は下七が四音三音で語調が悪いのです。たとえば

サッカー宣伝町おこしなる
インターネットどこもかしこも

と上下を逆にしたらどうでしょうか。

それでは予選通過の句に移りましょう。まず雑で人間が出てこない（あるいはそうみなせる）句、つまり「その場」「その時」を考えた句は次の13〜28でした。

○アルプスの山高くきびしく　13
　汚職の記事のたえぬ新聞　14
○屋台のならぶ街の雑踏　15
　新居に近き日比谷公園　16
○競り落された黄金の壺　17
　どうやらこれで止まる円高　18
○温泉付きの鰐の豪庭　19
　宿のホールに地酒コーナー　20

二つ並びし銀のスプーン　21
○街の灯美しきしゃれたマンション　22
○彩雲かかる故郷の山　23
窓と廊下が磨きあげられ　24
新ミレニアムグッズさまざま　25
口をききたる猫の置物　26
玻璃越しに見る濠のさざなみ　27
黒いベンツはいつもぴかぴか　28

この中で13と16は地名の句、18・25は時局の句ですね。

雑で人間が登場する（あるいはそう考えられる）句、つまり「その人」を考えた句は次の29〜39でした。

名付け論争画にこだわり　29
思うようにはいかぬパソコン　30
客層広げ保つ面目　31
地酒持ち寄り友と酌み合い　32
眼ひき袖ひきさてもにぎやか　33
コンピューターでメールやりとり　34
バリヤフリーの展示会行き　35
香港まではジャンボ機の旅　36
はた迷惑な自棄酒を飲む　37
パンと牛乳コンビニで買い　38
○フランス・ローマ　ワイン三昧　39

この中で36・39は地名の句、さらに36は旅体の句でもあります。

次に冬の付句に移りましょう。まず叙景と考えられる、つまり前句から「その場」

「その時」を考えた予選通過の句は次の40〜55でした。

モチーフつなぎ炬燵上掛け　40
イブの夜九時ケーキ安売り　41
暖炉赤あか燃ゆるマンション　42
○山茶花の紅狭庭（さにわ）明るく　43
○丘のホテルのクリスマスイブ　44
二千年紀の近き歳末　45
○静かに眠る遠き山々　46
狐と狸揺れる自自公　47
○いつしか外は小雪ちらちら　48
○聖夜華やぐイルミネーション　49
間もなく零時小雪ちらちら　50
故障続きの暖房の器具　51
孔雀盛りなる河豚（ふぐ）の大皿　52
○初富士の雪綺羅と輝き　53
○街路樹はみな裸木となり　54
○雪しんしんと山を眠らせ　55

この中で感覚的には薄いのですが41・44・49は神祇の句とみなせます。また45・47は時局、そして53は地名の句となります。

冬の句で人間が登場するとみなせる、つまり前句から「その人」を考えた予選通過の句は次のとおりでした。

おでん囲みてほろほろと酔い　56
シュプール描きくだる雪山　57
君子豹変熱燗の虎　58
雪の安達太良仰ぐ故里　59
燗熱々と雪見酒汲む　60

枯菊焚けば残る菊の香　61
すべて休暇はスキー三昧　62
外は粉雪酌みつ牡蠣むく　63
狐火のごと噂ちらほら　64

この中で59は地名の句ですね。

さて、沢山の面白い付句が提出されました。中でも○印の句は捨て難いのです。これまでの流れをみてみると、前句で都会的な雰囲気となったのですから、ここではもう一句都会の感覚があった方がよいようです。また人間を詠んだ句が続きましたから、冬の叙景句が収まります。そこでここでは54を治定しましょう。

街路樹はみな裸木となり

つまり並木の街路樹がすっかり葉を落としてしまった冬のオフィス街の景色なのです。また、噂の美人が結婚してしまったのでしらけているのではないでしょうか。

ここで冬の場面となりましたから、次はもう一句冬の句、長句をお願いしましょう。

二十五　名残表七句目

名残表五句目　ミス庶務課経理課長と結ばれし
名残表六句目　　街路樹はみな裸木となり

さて名残表七句目の治定にとりかかりましょう。ここでは冬の長句をお願いしておきました。

柿落葉言葉たくみにころがりし　1

面白い句ですが、前句の「裸木」もこの句の「柿落葉」もともに植物の季語です。付句には季語が二つあってもかまいませんから、「柿落葉」と何か別の季語、たとえば動物の季語でも入れて、その方を中心とした句にすればよかったと思います。たとえば、

柿落葉ひらりとよけて寒鴉

とでもしたらどうでしょう。これは「寒鴉」の句になります。

師走の夜竜宮斯(かく)やとルミナリエ　2

この句は中七が字余りです。「竜宮斯や」と「と」をとれば、つまり

師走の夜龍宮斯やルミナリエ

とでもすればよかったのではないでしょうか。

炭を焼く爺に縁なしミレニアム　3

名残表七句目

前の冬の場面（脇句）で

　網を繕う着ぶくれの爺

と「爺」が登場していました。

　小春日を背に受け婆は日向ぼこ　4

「婆」も前の冬の場面に「爺」がいるのですから、面白くありませんね。

　雪原にスキーの客の賑わいて　5

　軒先に早や笹鳴きの杣（そま）の家　6

これらの句の「雪原」「杣の家」は、前句の「街路樹」が都会の景色ですから、ここでは無理ですね。

　凩（こがらし）はイルミネーション震わせて　7

この句は前句には良く付いていますが、「凩」は風の一種ですから、四句前の「風の音」の句の存在が気にかかります。

　最高と天の声きく年の暮　8

この句にある「声」という字は、四句前の「語り部の声」で使われていて、近いようです。

　ガード下縄のれんでのおでん酒　9

この句は「下」の字が五句前の「下がる折鶴」に近いのです。

　凍土に白き楠公父子の墓　10

この句は面白いのですが「墓」となると無常になりますね。

　それでは予選通過の句に移りましょう。まず人間が出てこない（あるいはそうみなせる）句、つまり前句から「その場」「その時」を考えた句は次の11〜33でした。

金竜の舞うて新春幸あふれ　11
凍て玻璃の向うは綺羅の遊園地　12
聖夜の灯学園広場きらめかせ　13
都庁舎の塔から見えぬ寒い町　14
凍空に鴉がわつく新開地　15
○不景気の歳末の町砂ぼこり　16
○不景気にほの光さす冬の暮　17
客待ちの焼芋屋台公園に　18
○不景気をはらう老舗(しにせ)の門飾　19
そこばくの小銭がはいる社会鍋　20
霙れては角の屋台に二合酒　21
品書きの寄せ鍋の文字湯気の中　22
聖夜星窓の灯りと韻(ひび)き合い　23
○エルニーニョ冬将軍もからっきし　24
初雪のほのと匂いて暮なずむ　25

○拠(よ)りどなく夢と漂う雪蛍　26
○融雪の設備テストの湯を噴射　27
○舞う雪に西紀二〇〇〇はすぐそこへ　28
○数え日となり二千年目前に　29
○ミレニアム数え日灯すビルの窓　30
○年逝きて迎える西紀二〇〇〇年　31
スーパーに湯婆(とうば)の並ぶ世紀末　32
○狂いたる事件続きし年逝かせ　33

この中で13・23は感覚的に薄いのですが神祇の句、14は地名の句、28〜32は時局の句、そして33は狂体の句です。

人間が登場する（あるいはそう考えられる）句、つまり前句から「その人」を考えた句は次のとおりでした。まずそのなかで自分自身を詠んだとみなせる内容の句を見てみましょう。

簸買って心の弾む年用意　34
カトマンズ氷壁光る冬の旅　35
立読みのブックショップを出れば雪　36
故里は根雪の中と遠電話　37
脱衣場もすでに柚子の香冬至の湯　38
正体が知れぬがよしとマスクせん　39
○二〇〇〇年問題かかえ年送る　40
○大晦日夢と不安の二〇〇〇年　41
○二千年迎う賀状を書き終えて　42
○ミレニアム近い年末賀状書き　43
○ミレニアム熱燗舌にほろ苦く　44
忽ちに肝胆ひらく河豚の鍋　45
クリスマス荘厳ミサに跪き　46

この中で35は旅体の句、さらに地名の句でもありますね。また、40〜44は時局の句、そして46は神祇の句とみなせます。

それでは前句から「その人」を考えた句の中で他人を詠んだとみなせるのは次の47〜52でした。

先生も走り歳末パトロール　47
暖冬に賑わっている絵巻展　48
あざやかなマジック見せる冬帽子　49
○二〇〇〇年カウントダウン集う人　50
ヤマンバがミニに厚底年暮るる　51
蔓延すソフトウイルス厄落（やくおとし）　52

この中で50は時局、そして51・52は世相の句とみなせます。

さて、沢山の面白い付句が提出されました。中でも○印の句は捨て難いのです。これまでの流れを見てみますと、どうもここではもう一句叙景の句が欲しいのです。そして、せっかく西紀二〇〇〇年（ミレニアム）なのですから、それをこの歌仙に入れたいものです。つまり、この作品がいつ頃のものであるのかを表す付句が一句は欲しいのです。そこでここでは28を治定しましょう。

二十五　名残表七句目

舞う雪に西紀二〇〇〇はすぐそこへ

雪が舞っているその雪の帷（とばり）の向こうに西暦二〇〇〇年がひかえているのです。

次は雑の短句をお願いしましょう。

二十六　名残表八句目

名残表六句目　街路樹はみな裸木となり
名残表七句目　舞う雪に西紀二〇〇〇はすぐそこへ

さて名残表八句目の治定にとりかかりましょう。ここでは雑の短句をお願いしておきました。

ハッカーは霞が関にもぐり込み　1

この句は長句になってしまいました。

磨きあげらる奈良の御仏　2

飛天の遊ぶ奈良の大寺　3

一つの歌仙に地名の句が二つあってもかまわないのですが、この歌仙には

はんなりと葵祭の昼の月

という京都を暗示する句が出ているのです。京都があるとすると奈良は近いですね。

伜よりから届く日本酒　4

「伜よりから」は苦しい表現でした。「伜達から」とでもしたらどうでしょうか。

頼りなき櫓や航路果てなく　5

面白い句ですが、「櫓や」の「や」が何か切字のようになる所が気になります。前にも述べましたように付句では切字は使わない方がよいのです。たとえばここは「櫓の」とでもしたらどうでしょうか。

海外旅行のプランあれこれ　6

この句は上七が字余りのようです。ここは上七の「の」がいらないのではないでしょうか。

事無く済みて買置きの山　7

誤作動ありてどっと大金　8

あらなにもなしきのうもきょうも　9

これらの句は新年になった後の情景のようです。前句は西紀二〇〇〇はすぐそこへという、もうすぐ新年になるという年末を暗示した句です。また9は下七が四音三音です。

世界が揺れた電子錯乱　10

西暦二〇〇〇年正月にはコンピューターが誤作動して、社会の色々な個所でトラブルが起きるといわれていました。そこで、この句も7～9の句と同じように、そこを通過したという内容です。前句は未だその新年になっていない内容ですから、この場合は過去形ではなく

世界が揺れる電子錯乱

と現在形にすれば救われるのです。

天寿全し成田きんさん　11

長寿で有名でした成田きんさんは、新年に入ってから天寿を全うされました。つまりこの句も新年に入ってからの出来事です。

健康軸に一年の計　12

この歌仙の発句は

寒凪は一鳥抱きて碧濃くす

と「一」の字が登場していました。発句に

使用された字あるいは五句位近くにある字や留め字は使わない方がよいのでした。

形見の杯で交す吟醸　13

「形見」というと、無常の句となります。この折（名残表）では一句目に「ドナー」という無常の感覚の句が出ていました。

それでは予選通過の句に移りましょう。まず人間が出てこない（あるいはそうみなせる）句、つまり前句から「その場」「その時」を考えた内容の句は次の14～28でした。

雀のお宿てんやわんやと　14
はさみ物差しみんなペン立　15
湧いてはじけてシャンパンの泡　16
光渦まくディズニーランド　17
お札の図柄守礼の門に　18
インターネット潜るハッカー　19
オリンピックの夢はシドニー　20
サミットを待つ沖縄の名護　21
選挙にらみて荒れる国会　22
○介護保険もどうになるやら　23
○児童手当ても介護保険も　24
○高齢者数増加傾向　25
○神のみぞ知るパンドラの箱　26
○超人間のすげえロボット　27
携帯ポットのお茶は熱々　28

この中で17・18・20・21は地名の句、20～25は時局の句、そして26は神祇の句ですね。

人間が登場する（あるいはそう考えられる）句、つまり前句から「その人」を考えた句で、しかも自分自身を詠んだと考えられる句は次の29〜40でした。

可愛い辰のぬいぐるみ買い　29
○覚悟はよいかさあ御参（ござん）なれ　30
老舗（しにせ）を守る決心がつき　31
○傍に置きたい話すロボット　32
夢ふくらまし旅の計画　33
平穏無事を祈る氏神　34
ワインボトルを傍らに置き　35
不況もしばしまずは乾盃　36
宇宙船より地球眺めん　37
夢ではないね宇宙への旅　38
三億円の籤の夢見て　39
買い込んでおく水と食料　40

この中で33は旅体の句、34は神祇の句、そして40はコンピューターの誤作動に関係した世相の句ですね。

前句から「その人」を考えた句で、内容が他人を詠んだ句とみなせる句は次の41〜51でした。

家訓の書幅孫に伝承　41
市民ランナー追いつ追われつ　42
ひたすら平和祈る法王　43
紛争の地に融和希（ねが）いて　44
受け継がれゆく伝統の技　45
希望あふれる子等の作文　46

高鳴る鐘にゆらす乾杯　47
搭乗を待つ宇宙飛行士　48
高嶺よりみる出雲玉垣　49
○高天原の予約すませて　50
五輪にむけてきつい練習　51

この中で49は地名と神祇、そして51は時局の句とみなせます。

さて、沢山の面白い付句が提出されました。中でも○印の句は捨て難いのです。これまでの流れをみてみると、どうもここではそろそろ人間に登場してもらいたいですね。そして西暦二〇〇〇年は世紀末ですから、それを受け止めて欲しいところです。そこでここでは30を治定しましょう。

覚悟はよいかさあ御参(ごさん)なれ

コンピューターの誤作動であろうと世紀末に起こるどんなことでも迎え撃つという面白い句です。実はこの作者は、九〇歳をとっくに越えられた方です。我々若者も頑張ろうではありませんか。

次は長句をお願いしましょう。

二十七　名残表九句目

名残表七句目　舞う雪に西紀二〇〇〇はすぐそこへ
名残表八句目　覚悟はよいかさあ御参（ごさん）なれ

さて名残表九句目の治定にとりかかりましょう。ここでは雑の長句をお願いしておきました。

事なくてインターネットご健在　1
シドニーの選手選考もたもたと　2
エンデバー地球環境撮影し　3
地上こそ人住むところエンデバー　4
新税に賭ける石原地方自治　5
九年余の監禁解かれてはみたが　6
きんさんがぎんさんを呼ぶ向こう岸　7

これらの句は打越（名残表七句目）が

舞う雪に西紀二〇〇〇はすぐそこへ

という西暦一九九九年の句ですので、同じような年での時局・世相は観音開きになる危険があるのです。特に7は面白い句なのに残念でした。

宇宙船無事着地して祝う酒　8
宇宙への夢にこたえしエンデバー　9

エンデバーの出発前であれば、1〜7のようないま現在の句であるという問題点は別として、「覚悟はよいか」という緊張感があることでしょうが、これらの無事に帰還した句ではずれるのではありませんか。37はその点うまく発射前の句に仕上げています。

　意を決っし並びたる孫肩ぐるま　10

この句は意味不明です。「意を決っし」まではよいのですが。

　シャム猫はするりと傍を駈け抜けて　11

この句は前句には無理でしょう。

　ハッカーが神出鬼没の世となりて　12
　抜打ちの外形課税にある論議　13
　千恵蔵がおっとり刀は文化財　14

これらの句は中七が字余りです。

　こともなく日がまた暮れる路地の奥　15

大打越（名残表六句目）の

　街路樹はみな裸木となり

という句とこの路地の句は道路（街路）という点で近いようです。また「路」という文字も近いのです。

　黒化粧ひとり交りてはしゃぎおり　16

この句は「り」留めですね。今指摘した大打越の句も「り」留めなのです。

　弓しぼる那須与一（なすのよいち）の晴れ姿　17

この句も同様です。この歌仙の発句は

　寒凪は一鳥抱きて碧濃くす

と「一」の字が登場していました。そうでなければこの句は治定の候補なのですが残念でした。

それでは予選通過の句に移りましょう。

今回の提出句の多くは人間が出て来る句でした。そのなかで数少ない人間が出てこない（あるいはそうみなせる）句、すなわち前句から「その場」「その時」を考えた句は次の18〜25でした。

伝統の暮らしを変える電子機器 18
立ち向かう環境汚染地域あげ 19
ヴィオロンは驕らぬ知恵に響き合い 20
ハイテクのベンチャー企業もてもてで 21
目には目を歯には歯をとは愚かしき 22
野良猫のボス忍びこむ台所 23
慾ばかり金がかりなる世の中ぞ 24
宇宙より未来へつなぐメッセージ 25

人間が登場する（あるいはそう考えられる）句、つまり前句から「その人」を考えた句の中で自分自身を詠んだとみなせる句は次の26〜43でした。

○薦被りどっかと据えて呑みくらべ 26
○旧友と久（ひさ）に酌む酒沁みわたる 27
地酒飲み強くなりたるへぼ将棋 28
宝刀を抜きそこなって身の破滅 29
手作りの自慢ワインを詰める瓶 30
○搭乗の手続き済ませ深呼吸 31
イタリアを巡る美術の旅に来て 32
警察を信じられねば自己防衛 33
思いきり脳細胞をマッサージ 34
歯に衣（きぬ）を着せず誇りもなんのその 35
駆け込みて税務申告相済ませ 36
宇宙へのロケット発射今点火 37

○碁敵に王手取らんと勇みたる　38
無位無冠それも又よし小盃　39
高齢化社会に生きる術学び　40
定年を迎え余生はボランティア　41
定年後漢字検定挑戦し　42
ファックスを駆使し付句のやりとりを　43

この中で31・32は旅体の句、そして32は地名の句でもあります。

人間でも他人を詠んだ（またはそう考えられる）句は次の44〜58でした。

○旅役者けいこ過剰で寝言いい　44
柔道着ぶかぶかの孫眉上げて　45
父親と腕角力する子供達　46
グローブをしっかりはめてリング上　47
手加減はせぬ剣道の指南役　48
仁王立ち酒呑童子が大江山　49
小次郎と武蔵戦う名場面　50
トレードの決め手となりし背番号　51
空港に報道陣がつめかける　52
○碁敵のじっと睨める盤の上　53
○碁敵が膝を打ちつつ待つ座敷　54
○釘抜きを後ろ手に持つ閻魔さん　55
解散を鵜の目鷹の目睨んでる　56
活弁士台詞まわしも大げさに　57
城跡を彷徨いまわる物狂い　58

この中で50は人名、55は釈教、58は狂体、そして44は旅体の句ですね。

さて、沢山の面白い付句が提出されまし

た。中でも○印の句は捨て難いのです。これまでの流れをみてみますと、どうもここではもう一句は人間に登場して貰いたいのです。そして、どちらかというと前句が自分自身を詠んだ句と見なされますので、他人を詠んだ方が変化があるようですね。さらに、仮名留めが続いていますので、ここは漢字で留めるほうがよいようです。そこで53と54のどちらかにしようと思うのですが、前句の「御参なれ」の感覚は相手が未だ現れていない方が自然かもしれません（これは捌手の私の感覚ですが）。そこでここでは54を治定しましょう。

碁敵が膝を打ちつつ待つ座敷

碁盤を据えて座布団やお茶の用意をして、碁の相手が来るのを待ち構えているのです。

次は雑または秋の短句をお願いしましょう。

二十八　名残表十句目

名残表八句目　覚悟はよいかさあ御参(ごさん)なれ
名残表九句目　碁敵が膝を打ちつつ待つ座敷

さて名残表十句目の治定にとりかかりましょう。ここでは雑または秋の短句をお願いしておきました。

そっと顔出す狸の親子　1

面白い句ですが「狸」は冬の季語なのです。また、この句の下七は四音三音で調子が悪いのです。ここで雑または秋をお願いした理由は、そろそろこの折（名残表）に月（秋季）を出さなければならないからです。前にも述べましたように歌仙には月が三個所に登場するのですが、変化を重視するという立場から考えると、二個所は秋の場面で、そして残りの一つを秋以外の季節で出して欲しいのです。また、逆に月の出てこない秋の場面は素秋(すあき)といって嫌うのです。この歌仙では、これまでに秋の場面での月（表五句目）と夏の場面での月（裏七句目）が出ましたから三番目の月は秋の場面で出したいのです。

そぞろに寒くかき合わす襟　2

前の秋の場面（裏一句目）で

ひやひやと和尚の読経長びける

という句が登場していました。「そぞろ寒」と「ひやひや」、そして句の内容が何か似ている点が気になりますね。

庭いっぱいに鈴虫の声　3
茶庭のありてちちろ虫鳴く　4
庭にすだける鈴虫の声　5
松手入よく庭もととのい　6

前の秋の場面（表五句目）で

前栽の松にかかれる望の月

という庭の句が登場していたのです。

武蔵の策は焦らす兵法　7

この句は打越の

覚悟はよいかさあ御参なれ

に戻るような感じです。

テレビに映る選抜球児　8

この句の下七が四音三音になっている点が気になりますね。

旅先にあり受けし吉報　9

この句は前句との繋がりがわかりません。

はらり舞い込む楓色濃く　10

この歌仙の発句は

寒凪は一鳥抱きて碧濃くす

でして「濃く」という字が使用されていました。

秋七草を床に飾りて　11
縁側近くすだく虫の音ね　12
違い棚には猿の腰掛　13
登り竜なる床の掛け軸　14
忍と書かれし床の掛軸　15

虫の音ひそとぬれ縁の下　16

床の達磨にぐっと睨まる　17

「床」「縁側」「違い棚」は屋内のある場所を示す言葉です。前句に「座敷」とあるのですから、屋内の句は自然かもしれませんが、やや付け過ぎです。もっとも観音開きとなるよりはよいのですが。

脳裏をよぎる母の遺言　18

この句は無常の内容です。歌仙に無常の句が二個所あっても構わないのですが、同じ折（ここでは名残表）には避けた方がよいでしょう。裏一句目に「ドナー」という言葉が出ていました。

それでは予選通過の句に移りましょう。

その中でまず秋の句であって人間が出てこない（あるいはそうみなせる）句、つまり「その場」「その時」を考えた句は次の19〜35でした。

すすきの原を借景にして　19

○鮎を落とせし川のせせらぎ　20

貼り替えすみし障子清しく　21

○しじまを破り又添水鳴る　22

踊り太鼓の音のきれぎれ　23

秋の彼岸のやわらかきお陽　24

○真赤な林檎籠に盛られて　25

栗飯を炊く匂いただよい　26

○色とりどりに壺のコスモス　27

○青磁の壺に桔梗穂芒　28

○あふるる如く籠の龍胆　29

○音色澄みたる籠の鈴虫　30
○先を見据えていと跳びだす　31
○遠蜩(とうひぐらし)の何時か鳴きやむ　32
○覗き見をしてゆるる蓑虫　33
盛りだくさんの秋果匂やか　34
新酒添えられ山菜の膳　35

この中で23は神祇、そして24は釈教の句とみなすことが出来ます。

秋の句の中で人間が登場する（あるいはそう考えられる）、つまり前句から「その人」を考えた句は次の36〜42でした。

焼銀杏で新酒もてなす　36
久に取出すどぶろくの壺　37
新酒の樽にはやも酌みつつ　38
心ゆくまで新酒酌み交い　39
耳障りなる秋の風鈴　40
残る蚊ばかり耳障りして　41
栗飯運ぶ山里の駅　42

雑の予選通過の句に移りましょう。この中で人間が登場していないと考えられる句、つまり「その場」「その時」を考えた句は次の43〜55でした。

○目覚めた猫のそり身快適　43
○こっそり覗く猫の太郎兵衛　44
○ロボットなどの出る幕でなく　45
○笑ってござる彌次郎兵衛どん　46
○酒訓十条古き扁額　47
○湖(うみ)の向こうの小さきともし灯　48

○からくり時計踊る活惚 49
○柱時計は由緒ある物 50
○西望の軸ややに古びて 51
お稲荷さんの祠傾き 52
水琴窟の調べたかまる 53
玻璃戸にうつる有珠の噴煙 54
○つけっぱなしのテレビ長々 55

この中で51は人名、そして52は神祇の句ですね。49は「踊り」という在祭りの神祇の内容を持った秋の季語が使われていますが、からくり時計の動きなのですから、この句は雑と見なしましょう。

最後に雑で人間が登場しているとみなせる句は次の56〜60でした。

酒ぶらさげて出向く三吉 56
鬼のいぬ間に探す酒瓶 57
傍らにある気に入りの酒器 58
酒の肴は烏賊の塩辛 59
茶柱立って幸先のよき 60

59では「烏賊」という言葉が出ています。「烏賊」は夏の季語ですが、塩辛であるから雑のあつかいでよいでしょう。

さて、たくさんの面白い付句が提出されました。中でも○印の句は捨て難いのです。これまでの流れをみてみるとどうもここでは前句の座敷の雰囲気を受け止めて、しかも人間が登場していない句がよさそうです。そこでここでは49を治定しましょう。

からくり時計踊る活惚（かっぽれ）

つまり、碁の友人を待っている部屋にからくり時計が置かれていて、ちょうどいま活惚（かっぽれ）のような仕草をしているのです。なかなか来ない友人を待つ前句の人のいらだちをからかっているようですね。

なお活惚（かっぽれ）となると、打越の

覚悟はよいかさあ御参なれ

と留め字が「れ」と同じではないかと考えられる方がいらっしゃるかもしれません。ここは大丈夫なのです。留め字は、助詞・動詞・助動詞・形容詞・形容動詞などで句が終る場合でして、名詞で終る場合は構わないのです。たとえばこの歌仙でも

裏二句目　盲導犬の身じろぎもなく（く留め）

裏六句目　朱（あか）い衣桁に掛けし白無垢（む く）（く留めではない）

名残表四句目　古傷をさす恋の遍歴（き留めではない）

名残表九句目　碁敵が膝を打ちつつ待つ座敷（き留めではない）

と五句以内に最後が同じ音で終る句が登場していましたが名詞の場合は留め字とはいわないのです。

雑が続きましたから次は秋の場面にしましょう。そこで月の長句をお願いします。前の月の句と違った内容を考えてください。

二十九　名残表十一句目

名残表九句目　碁敵が膝を打ちつつ待つ座敷
名残表十句目　からくり時計踊る活惚（かっぽれ）

さて名残表十一句目の治定にとりかかりましょう。ここでは月の長句をお願いしておきました。

暗闇を一筋照らす月の光（かげ）　1
升酒を酌んで待ちたる後の月　2
月の客待ちて毒味の郷（くに）里の酒　3
月の出を待ちつ待たれつよういとな　4
宴果てて父をねぎらう居待月　5

この歌仙の発句は

寒凪は一鳥抱きて碧濃くす

で「一」の字が使用されていました。また打越（名残表十句目）は

碁敵が膝を打ちつつ待つ座敷

で「待つ」の字が使用されていました。発句や近くに使用された漢字や留め字は遠慮した方がよいのです。

客去ってひとり酌む背に後の月　6

この句は前に掲げた「碁敵を待つ」の碁敵が帰った後の時間経過を説明しているようです。

病棟の窓にさしこむ望の月　7

この歌仙では
盲導犬の身じろぎもなく（裏二句目）
よみがえる命ドナーのお蔭にて（名残表一句目）
と病体を暗示する句が二句登場していますから、もう病体の句は充分でしょう。
爺と婆声をそろえて月の歌　8
この歌仙の脇に
網を繕う着ぶくれの爺
と爺が登場しています。
月光も有珠の噴煙不安げに　9
時局を持ってきた意図はわかるのですが、この付け句は前句には無理です。
宵闇に庭の灯籠ほのとあり　10
前の月の場面（裏五句目）で
前栽の松にかかれる望の月
という庭の句が登場していました。
それでは予選通過の句に移りましょう。
その中でまず人間が出くる（あるいはそうみなせる）句、つまり前句から「その人」を考えた句の中で自分自身の句は次の11～23でした。
月旅行用意万端抜かりなく　11
郷愁の思いつのらす盆の月　12
夕月にそぞろ歩める出湯の街　13
月見れどなぜか心の落ちつかず　14
雲乱れいざよう月のやるせなく　15
○どぶろくに酔えばほろほろ月歪み　16
○ほろ酔えばいざよう月も歩を合わせ　17

弓張の月に酌む酒さめやすく　18

○名月を柄杓に汲まん酒の樽　19

月の宴虚しき想い引きずりて　20

○猿酒の壺を抱えて月に酔い　21

月細く朝立ちの旅見送りて　22

月の道夜食買い込みひとり住む　23

この中で11は旅体の句ですね。

人間を詠んだ句の中で、他人を詠んだとみなせるのは次の三句でした。

月の出に「連」それぞれの旅装とき　24

月の出を機上で写すカメラ狂　25

久々に新酒くみつつ月の客　26

この中で24は旅体、そして25は狂体の句ですね。

予選通過の句の中で人間が登場しないとみなせる（あるいはそう考えられる）句、つまり前句から「その場」「その時」を考えた句は次の27〜57でした。

また隠れ又出た月のかくれんぼ　27

○身の素性明かし秋澄む月の石　28

○皿の上光妖しき月の石　29

○三日月に小人腰かけ笛を吹き　30

○イベントの櫓に月の移り来て　31

シャッターのおりた商店照らす月　32

三味の音の露地に流れて月皓と　33

谷へだていざよう月の昇りそめ　34

乗り換えの駅に上れる月真っ黄　35

バスツアー無事の終りを迎う月　36

十三夜雲の流れに隠れ見ゆ　37
鉄塔の真ん中渡る夜半（やわ）の月　38
十六夜（いざよい）の雲は忽ち消えうせて　39
草むらは露もしとどに十六夜（じゅうろくや）　40
新月の雲の切れ間にネオン染み　41
月天に稲穂は金にみのりたる　42
夕月を揚げて閉ざせる美術館　43
十三夜木犀の香のそこはかと　44
人の世の清濁呑みて澄める月　45
○細波の池の面（も）歪む三日（みか）の月　46
○月光り小さく兎落ちるらん　47
○月明り魑魅魍魎（ちみもうりょう）は息ひそめ　48
○西の空はや月の舟渡りいて　49
○猿山の月は雲間に光（かげ）さして　50
○ニンマリと雲のあいより覗く月　51
○休日の続く銀座の月呆（ほう）け　52
○妖しさをふとただよわす月の光（かげ）　53
○月が出るみそかに月が出るそうな　54
月明り丑満（うしみつ）どきの無人駅　55
書割（かきわり）の月を黄色く塗りあげて　56
月の舟ゆらりゆらりと夢みがち　57

この中で36は旅体、そして52は地名の句ですね。また、28・29・56は本物の月の句ではありませんね。前の秋の場面の月の句と似たようにならないよう工夫した句です。

さて、たくさんの面白い付句が提出されましたが、ここでの難点は「からくり時計踊る」の捉え方でした。つまりまず、からくり時計そのものから本物の「その人」

「その時」「その場」を想定して次の付句を考えるのか、からくり時計が踊るといったフィクションに基づいて考えるのかという点です。そうなると予選通過の中でも○印の句が捨て難いことになります。また、ここはもう一句は人間が登場していない句がよさそうです。そこでここでは、48を治定しましょう。

月明り魑魅魍魎（ちみもうりょう）は息ひそめ

魑魅魍魎（ちみもうりょう）とは山や川に生息するといわれている妖怪達です。煌々とした月明りの下でからくり時計が活惚（かっぽれ）を踊っているのです。そのにぎやかで楽しい雰囲気に圧倒されて妖怪達は息をひそめてしまったのです。面白いですね。

次は秋の短句をお願いしましょう。

三十　名残表十二句目

名残表十句目　からくり時計踊る活惚(かっぽれ)
名残表十一句目　月明り魑魅魍魎(ちみもうりょう)は息ひそめ

さて名残表十二句目の治定にとりかかりましょう。ここでは秋の短句をお願いしておきました。

妖しさ胸に独り酌む酒　1

解体工事進む廃校　2

これらの句は雑の句になってしまいました。

何処までもツンドラつづく無人島　3

この句は雑でもありますが、長句です。

障子に羽音虫のうごめく　4

障子は冬の季語です。似たように通常用いていながら季語になっている足袋・屏風（冬）等があります。そこでここではこの句は避けておきますが、前にも述べたように、そろそろ季語の見直しの時期がきているようです。

くちびる冷ゆる総理発言　5

葬りもどりのそぞろ冷やか　6

母なるボルガ秋冷の旅　7

この歌仙では

裏一句目　ひやひやと和尚の読経長びける

と、冷やか（冷ゆ、秋冷）という同じ季語の句が登場しています。似た季語でも、そぞろ寒・秋寒・やや寒・冷まじ等は冷やか（ひやひや、ひやびや）とは少し違った感覚がありますので、歳時記でも別の季語としてあつかっています。そこで、5～7の句は避けることにしますが、後の方の季語の句は認めることにしましょう。

ダブルキャストで沸く村芝居　8

罠を掛けたが十日の菊で　9

8は下七が二音五音、9は下七が四音三音で調子が悪いのです。

それでは予選通過の句に移りましょう。

その中でまず人間が出てくる（あるいはそうみなせる）句、つまり前句から「その人」を考えた句で、内容が自分自身の句は次の10～29でした。

○少年犯の事件身に入む　10

平家琵琶の音そぞろ身に入む　11

○十七、八の切れしうそ寒　12

耳を澄ませばおけら鳴く声　13

胆だめしとて芒見違え　14

切火を背ナに秋の旅立ち　15

厄日も過ぎてほっとひと息　16

ふりむく裾を濡らす糸萩　17

岩茸の香に濡れて佇ずむ　18

尾花の揺れに驚きもせず　19

秋思の句作まとまらぬまま　20

糸瓜の水をスッと取りたる　21

どぶろくに酔い仰ぐ伊吹嶺(ね)　22
うるか舐め舐めこなからの酒　23
薩摩切子の新酒まろやか　24
サークル室で濁酒酌む　25
○猿酒酌めば恐いものなし　26
芦の穂架が鼻をくすぐる　27
芦刈り終えて急ぐ戻り路(じ)　28
明日は吟行紅葉たずねて　29

この中で15・29は旅体、22は地名の句です。

人間を詠んだ句で他人を詠んだ句は次の四句でした。

○世間騒がす罪の冷まじ　30
傘寿を祝う菊の盃　31
○葡萄酒醸す甲斐の山人(さんじん)　32
○賢治の醸す葡(ぶ)萄(ど)酒(しゅ)に酔い　33

この中で32は地名の句、そして33は人名の句ですが背景に地名（みちのく）が感じられます。

予選通過の句の中で人間が登場しないとみなせる（あるいはそう考えられる）句、つまり前句から「その場」「その時」を考えた句は次の34～51でした。

爽涼の気の充てる乾(けん)坤(こん)　34
枝(し)折(お)戸(りど)ふさぐ萩のひとむら　35
はるばる続くすすき野の原　36
○芒が原に放置自転車　37
野菊咲きおり海辺への道　38
小(ち)さき風生みこぼる白萩　39
うなじを垂れて揺るる桔(きっ)梗(きょう)　40

桂の花の匂いそこはか　41
小川の水のしんと澄みたる　42
精霊船がゆっくりと行き　43
磨きあげたる初猟の銃　44
松茸飯の香りただよい　45
旅の土産の酒とからすみ　46
むささび跳んでよぎる叢雲（むらくも）　47
急に鳴き出す道端の虫　48
残る蛍の灯ともせる　49
フヒョロフヒョロとあれは邯鄲（かんたん）　50
鹿は鳴き鳴き夜をさまよう　51

この中で43は釈教、46は旅体の句です。

さて、沢山の面白い付句が提出されましたが、内容として未だ出ていない酒に着目した句、あるいは夜景としての虫の句が多いようです。また人名の句も未登場のようですね。ここではそろそろ人間に登場してもらいたいところです。そこでここでは33を治定しましょう。

賢治の醸（かも）す葡（ぶ）ん萄酒（どしゅ）に酔い

背景は東北です。宮沢賢治が醸造した葡萄酒に山や川の妖怪達は酩酊してしまって、ひっそりとしているのです。

次は秋の長句をお願いしましょう。ここで名残表の折は終ります。つまり名残表の折端です。したがって次の句は最後の折（名残裏）の一句目となります。

三十一　名残裏一句目

名残表十一句目　月明り魑魅魍魎（ちみもうりょう）は息ひそめ
名残表十二句目　賢治の醸（かも）す葡萄酒（ぶどしゅ）に酔い

さて名残裏一句目の治定にとりかかりましょう。ここから最後の折（名残裏）に入ります。ここでは秋の長句をお願いしておきました。

秋興の自称戯作者相集い　1
即興を乱れ書きする捨扇　2
読みました忘れ扇の方丈記　3
砧きき泣いた疎開の友想う　4
奥山に友と連れ立つ紅葉狩　5
バーゲンのいい風が吹く秋扇　6
庭下駄に虫籠さげて尋ね来る　7
新蕎麦に故郷の母なつかしみ　8
山田守（も）る案山子の夢は遠き旅　9
豊作のみちのくの旅果てしなく　10

この前句（名残表十二句目）の理解については、説明不足だったようです。この前句は、葡萄という秋の植物の句ではなく、新酒という生活の句なのです。「新酒」という季語がなくとも内容で理解して欲しいのです。そこが連句の付句と俳句との違いの一つでもあります。したがって、これらの句は面白いのですが、生活の季語だけの句でしたので外さざるを得ませんでした。前にも述べましたように、連句の付句では季語が二つあるいは極端にいって三つでも許されるのですから、生活の季語が用いられていても、別の季語との組み合わせであって、そちらに重点がある付句であればよいのです。

ふと目覚め今のは夢か秋の夜　11
ひもとくは夜長の源氏物語　12
藤八拳秋の夜長を延々と　13
世直しの正義の味方待つ文月（ふづき）　14

打越（名残表十一句目）は月の句で、しかも夜景ですので夜景の観音開きとなりますから、これらの句もとれませんね。また14は「月」の字がさわります。

時雨来て今日は泊まり旅の宿　15

は、冬の句になってしまいました。「時雨」は冬の季語なのです。

子供らはお団子貰う地蔵盆　16
手作りのおはぎ供える秋彼岸　17

前の秋の場面では裏一句目に

ひやひやと和尚の読経長びける

といった釈教の句が登場していたのですから、ここの秋の場面に再び釈教の句を出すのはいかがなものでしょうか。

それでは予選通過の句に移りましょう。その中でまず人間が出くる（あるいはそうみなせる）句、つまり前句から「その人」

を考えた句で、自分自身を詠んだ句は次の18〜42でした。

　秋高く夢にまで見し理想郷　18
○天高く望郷の詩切々と　19
　秋高く風土記の丘に佇みて　20
　行秋の自作の詩を吟じもし　21
○アイターンして農に生き豊の秋　22
　おろおろと生きて晩年暮の秋　23
　気遣いし厄日もすでに無事に過ぎ　24
○秋の色いよよ深まる旅の果て　25
○秋麗ら夢を馳せつつ旅企画　26
○旅に来てモーゼル川に秋惜しみ　27
○さすらいの旅に行く秋惜しみつつ　28
○うそ寒の取材の旅の半ばにて　29
○よき友と旅愁の紅葉しみじみと　30
○粧える故山の旅に寧らぎて　31
○夢うつつあそぶ故山は秋深み　32
　ほほのしわうたたねさめてうそ寒く　33
○草の花懐紙におさめ旅終り　34
○さわやかに史蹟めぐりの旅にあり　35
　高原の湖畔歩けば爽やかに　36
　秋園にタイムカプセル掘り出して　37
　まならうに故郷の山河ちちろ鳴く　38
　郷里よりの蜂の仔およそすそわけに　39
　こそばゆく額なでれば蚊の名残り　40
　鳴く虫に駄句をひねりて上機嫌　41
　秋出水土嚢積上げひとやすみ　42

この中で25〜31は旅体の句、そして27は地名の句ですね。

前句から人間を考えた句で他人を詠んだ句は次の43～49でした。

○秋ツアー盛り沢山が人気とか 43

爽やかに鼓笛隊行く大通り 44

刈田道子ら賑やかに遊びいて 45

村挙げて豊年踊りきりもなく 46

虫の音(ね)に包まれ源氏朗読し 47

山荘は茸づくしのおもてなし 48

○若者のUターン継ぎ馬肥えて 49

この中で46は神祇の句とみなすことが出来ます。

予選通過の句の中で人間が登場しない(あるいはそう考えられる)句、つまり前句から「その時」「その場」を考えた句は次の50～61でした。

取り入れもすみて故郷は冬近く 50

行く秋の買い叩かれし別荘地 51

みちのくの案山子が放つ秋の声 52

岩肌にへばりつきたる草紅葉 53

裾野まで黄金(こがね)の稲穂つづきたる 54

豊年の土間に重ねし稲の束 55

休耕田畦は客席村芝居 56

省間の分散問わる震災忌 57

故里の山の粧いたぐいなく 58

部屋隅に迷いこみたるつづれさせ 59

水清きふるさとの川秋の鮎 60

みちのくの稲田みのりて豊(とよ)の秋 61

この中で57は釈教の句です。

さて、いよいよ名残裏に入りました。この折は歌仙の最後ですから静かにおさめたいものです。そして未だ出ていない内容を考えていただきたいのです。そうなるとまず旅の句が未だ出ていないようですね。ここでは旅の句の中で暴れていない句にしましょう。そこでここでは31を治定します。

三十一　名残裏一句目

粧える故山（こざん）の旅に寧（やす）らぎて

久しぶりに故郷を訪れたのです。なつかしい山の景色は昔のままです。すっかりくつろいでしまいました。やや新酒をすごしたようです。

次は雑の短句をお願いしましょう。

三十二　名残裏二句目

名残表十二句目　賢治の醸す葡ん萄酒に酔い
名残裏一句目　粧える故山の旅に寧らぎて

さて名残裏二句目の治定にとりかかりましょう。ここでは雑の短句をお願いしておきました。

草笛吹きぬなつかしの丘　1

「草笛」は夏の季語なので、この句は夏になってしまいました。

雨戸忘れて零る星影　2

三句前の大打越の句（名残表十二句目）が

月明り魑魅魍魎は息ひそめ

という月の句ですので星の句はそれに近くなってしまいます。

はがき一枚やっと書き上ぐ　3

この歌仙の発句には

寒凪は一鳥抱きて碧濃くす

と「一」の字が使用されていました。

零雨句碑にはうた散らばれし　4

二句前の打越の句（名残表十二句目）が

賢治の醸す葡ん萄酒に酔い

という「賢治」という人名の句ですから、「零雨」という人名の句は観音開きとなります。また、この句は下七が二音五音で調子が悪いのです。

　ふと口ずさむ小学唱歌　5

　拡張工事始まる模様　6

　これらの句は下七が四音三音で調子が悪いのです。

　張子の虎もうなずきており　7

　この句はなにか四句前の

　からくり時計踊る活惚(かっぽれ)

と一脈通じる感じですね。

　窓越しに見る遠き漁火(いさりび)　8

　この句は海の景色ですね。この歌仙の発句と脇が海あるいは湖の景色なのです。そこでもし海の句を出すとすれば揚句まで待って欲しいのです。

　それでは予選通過の句に移りましょう。その中でまず人間が出てくる（あるいはそうみなせる）句、つまり前句から「その人」を考えた句で、自分自身の句は次の9～23でした。

　立寄る母校旗章変らず　9

　合わせ鏡に重(か)さぬ面影　10

○友と語らう川の辺の径(みち)　11

○小川流るる水音(みおと)聴き入り　12

　地震(ない)のテロップのみが気になる　13

　出逢いし友と方言のまま　14

○駐車違反で払う罰金　15

　興のむくまま筆をはしらす　16

　覚めても楽し桃源の夢　17

　ヴィデオカメラで懸賞をとる　18

政界復帰想い語らう　19
○想いめぐらす父母（ちちはは）のこと　20
○しみじみ想う母の過ぎ来（こ）し　21
手さげ袋の句帖とり出し　22
バスが曲がりて思い出の森　23

次に「その人」が他人の句とみなせる句は次の24～31でした。

○母御自慢のぜんざいの味　24
出世頭と町の評判　25
家業を継ぎしクラスメート等　26
曾祖父の秘（ひ）す金鵄（きんし）勲章　27
サミット騒ぐ沖縄の人　28
○母者も友もすこやかな顔　29
南の海に消えし兵（つわもの）　30
○橋のたもとで母が手を振る　31

この中で30は無常の句です。名残表一句目に「ドナー」がありましたので、先程までは無常の句は避けてきましたが、ここでは折が変りましたし充分離れていますから残すことが出来ます。また28は地名・時局の句ですね。

自分自身の句とも他人の句ともみなせる句は次の三句でしょうか。

手ぬぐい片手湯あがりの坂　32
はらから集い年忌すませし　33
おさな馴染の集う分校　34

ここで33は釈教の句です。

予選通過の句の中で人間が登場しないとみなせる（あるいはそう考えられる）句、つまり前句から「その時」「その場」を考えた句は次の35〜61でした。

木立の奥の累代の墓　35
○こだまの返す亡母（かあ）さんの唄　36
介護保険の制度ととのい　37
アルバムそっと置きし卓上　38
○紙飛行機が小川越えたる　39
夕日に映える古き堂塔　40
縄文遺跡森蔭に見ゆ　41
万葉の歌碑ところどころに　42
水琴窟の韻（ひび）きかそけく　43
○昔のままの谷のせせらぎ　44
天文台の聳えたつ丘　45
携帯電話追いかけてくる　46
歴史溶けこむ工芸の町　47
分校跡にのこる碑（いしぶみ）　48
読めそうでいて読めぬ掛軸　49
子猿がのぞく小さき岩ぶろ　50
湯気を立てつつ流る余り温泉（ゆ）　51
○砂金に夢をさがす川底　52
○新曲つづる谷のせせらぎ　53
古代文字とも崖の落書　54
○据風呂のわき歌うせせらぎ　55
菓子の名前は町の旧蹟　56
取りこわされし古き狂院　57
社（やしろ）まんまえ鎌倉の海　58
○四万十（しまんと）川は水嵩（みずかさ）を増し　59
遙か彼方に佐渡の島影　60

平家村なる標識もなく　61

この中で35・36は無常、37は時局、40は釈教、57は狂体、そして58〜60は地名の句ですね。

さてこの歌仙も終盤に入りました。そこで今までに出ていない内容の句が要求されるところです。〇印の句をご覧になればおわかりのように、未だ父母、そして川が出ていないようです。そこで両者を詠みこんだ31を治定することにしましょう。

橋のたもとで母が手を振る

故郷に帰ってきました。懐かしい山が見えます。そして橋のたもとではお母さんが手を振っているのです。

次は雑の長句をお願いしましょう。

三十三　名残裏三句目

名残裏一句目　粧える故山（こざん）の旅に寧（やす）らぎて
名残裏二句目　橋のたもとで母が手を振る

さて名残裏三句目の治定にとりかかりましょう。ここでは雑の長句をお願いしてきました。

朝霧に咽（むせ）びて散歩の人と犬　1

「朝霧」は秋の季語ですので、この句は秋の句になってしまいました。また、この句は中七が字余りではないでしょうか。「咽（むせ）び散歩の」と、「咽（むせ）びて」の「て」を取ればよいのです。付句においては字余りや字不足は避けなければなりません。

悩みごとインターネットで送信し　2

この句も中七が字余りのようです。

スーパーの開店準備上がるバルーン　3
駅伝の中学生が大接戦　4

これらの句は下五が字余りです。

銀鱗を狙って鳥の舞いおりし　5

この歌仙の発句には

寒凪は一鳥抱きて碧濃くす

と「鳥」の字が使用されています。発句や近くの句にある字や留め字は遠慮した方がよかったのです。

宅便に手作りケーキ入れ添えし　6

前句が

橋のたもとで母が手を振る

でして、「手」の字が出ていました。

すりへった下駄まだ履いている　7

ホームページでめもとうるうる　8

これらの句は短句になってしまいました。

携帯の電話にしかと届く文(ふみ)　9

この句はなにか恋の匂いがしますね。単に「文(ふみ)」ではなく、内容が恋ではないことが鑑賞する側にわかるように「文」を使っていただきたいのです。

アルバムに積もる話の遠き日々　10

たぐりよすセピア色した写真帳　11

「アルバム」も「文」と同様に恋の感覚を持っています。これらの句は、その点、恋の感じからは遠いかも知れませんが。ともかく後で出てくる47の句と比較していただきたいのです。その47の句は恋というよりも無常の感覚です。

大店の年季奉公きびしすぎ　12

この歌仙では裏八句目に

年季入りたる鱧(はも)の骨切り

と「年季」という言葉が出ているのです。同じ言葉は二度と使用しないようにしましょう。

それでは予選通過の句に移りましょう。

その中でまず人間が出てくる（あるいはそのうみなせる）句、つまり前句から「その人」を考えた句で、しかも内容が自分自身のことと受け止められる句は次の13～23でした。

誤解とけ胸はずませて踏むペダル　13
まなうらに残るありし日偲ばるる　14
あの時が永(とわ)の訣(わか)れとなりしとは　15
又会う日恙(つつが)なきこと念じつつ　16
地震(ない)続く島にしばしの別れつげ　17
下町のひとり暮しが板につき　18
○売られゆく牛に名残りを惜しみつつ　19
○秘して持つ五銭の葉書針箱に　20
○蹴ったのは誰と問いたい離れ雲　21
シドニーの五輪の成果待ち給え　22
ハイビジョン科学の進歩目をみはり　23

この中で14・15は無常の句、22は地名・時局の句です。

「その人」を考えた句の中で、他人を詠んだと考えられる（あるいはそうみなせる）予選通過の句は次の24～32でした。

塾通いナップザックの兄弟(あにおとと)　24
ランドセル赤もまじりてにぎやかに　25
○「SAYONARA」とホームステイの子の笑顔　26
○猫車押してバイトの苦学生　27
予定日を待たず生まれし初の孫　28
徘徊の胸の名札に捨てし過去　29
黄ばみたる写真の中に皆若く　30
島民に避難命令都知事出し　31
三宅島離る島民避難船　32

この中で31・32は時局・地名の句ですね。
予選通過の句の中で人間が登場しないと

みなせる（あるいはそう考えられる）句、つまり前句から「その時」あるいは「その場」を考えた句は次の33～53でした。

ロケーション別れのシーン完了し　33
お土産の和菓子いろいろ紙袋　34
○泣くもんか俺ら金太の飴ん棒　35
天守閣金の鯱鉾毅然たり　36
美しき青き地球よ永劫に　37
着々と護岸工事の進められ　38
ポケットの携帯電話鳴りだすや　39
Eメール世界の空を駆けめぐり　40
撮り終えし映画のシーン雨の中　41
トンネルをくぐり抜くればすぐ都心　42
終点の東京駅はラッシュ前　43
発掘は那津の宮家の倉庫群　44
ポンペイを想い出させる三宅島　45
ポケットの新札にある守礼門　46
○アルバムの形見となりしこのページ　47
○形見にとバッグの底の預金帳　48
肩よせてほほ笑みこぼす道祖神　49
お願いを連呼してゆく選挙カー　50
ヘリコプター旋回しつつ大空へ　51
和を紡ぐNGOが定着し　52
税金で又も倒産うめあわせ　53

この中で42～44は地名、45・46は地名・時局、47・48は無常、49は神祇、そして52は時局の句ですね。

さてこの歌仙も終盤に入りました。そこで今まで未だ出ていない内容の句が要求されるところです。○印の句をご覧になればおわかりのように、未だはっきりした無常の句が出ていないようです。前に述べましたように「ドナー」には無常感がありました。そこでその句のある折（名残表）では無常の句は避けてきました。しかしきちんとした無常の句があってもよいでしょう。しかしここは名残裏の折ですから生々しい（暴れた）無常の句は面白くありません。そこで静かな無常を詠んだ47を治定することにしましょう。

アルバムの形見となりしこのページ

橋のたもとで手を振っていた母親の写真が、最後の別れとなったのでした。

次は春の短句をお願いしましょう。あと三句でこの歌仙が終りです。歌仙の中に要求されている花の二句（花といえば桜の花のことです）のうち二番目の花の句の出番が近いのです。春の句は、秋の句と同様に三句位続けて欲しいので、次の句は春で花の定座の前の句となります。

三十四　名残裏四句目

名残裏二句目　橋のたもとで母が手を振る
名残裏三句目　アルバムの形見となりしこのページ

さて名残裏四句目の治定にとりかかりましょう。ここでは春の短句をお願いしておきました。また、この句の次が花の句となることも指摘しておきました。

大打越（三句前、ここでは名残裏一句目）が

粧える故山の旅に寧らぎて

と「山」があるので「嶺」はそこに戻ってしまいます。つまり、連句で最もよくないといわれる観音開き（この場合は山の観音開き）になってしまいます。

指呼に連なる残雪の嶺　1

ＩＴ開く暖かき午後　2

「開く」となると「ＩＴ」ではずれるのではないでしょうか。Ｅメールの間違いではないかと思います。

ゴロと一つの虫出しの鐘　3

この歌仙の発句には

寒凪は一鳥抱きて碧濃くす

と「一」の字が使用されています。発句や近くの句にある字や留め字は遠慮した方が

よいのでした。

窓から見ゆる初蝶の影　4

前句が

アルバムの形見となりしこのページ

であって、「見」という字が出ていました。

蝌蚪（かとあ）生れてお濠の水の日々温（ぬる）み　5

この句は長句になってしまいました。

春光浴びるみちのくの句碑　6

雪解時（ゆきげどき）来て春も間近に　7

ちょっと「イカした」春のファッション　8

春光散らし子猫ら遊ぶ　9

なべて包める春の黄昏　10

困苦の末に春平家村　11

前の春の個所（裏十句目）に

藁屋しっとりつつむ春雨

と「春」の字が出ています。「春」「夏」「秋」「冬」といった四季の字は一つの歌仙の中では一個所だけにした方がよいと考えています。というのは、四季の字は印象が強いからなのです。また、10の句の「包める」は、ご覧の通りすでに使用されていました。

入学記念家族の笑顔　12

紙のひいなを栞とはさみ　13

これらの句は下七が四音三音になっています。声を出して読んでみればおわかりのように、短句の下七の四音三音は語調が悪いのです。（このことは9にもいえます。）

首席競ったあの大試験　14

短句の下七では四音三音の並びの次に、二音五音が調子が悪いのです。

朧にかすむ遠き来(こ)し方　15
おぼろおぼろとなれる思い出　16

裏十二句目（春の場面）に

シャボン玉吹き還す遠き日

という句があり、これらの句はなにかそれに似たような感じです。

卒業証書抱く胸元　17
作り阿呆の長閑(のどか)なる顔　18

これらの句の「胸元」「顔」は打越の

橋のたもとで母が手を振る

の「手」という身体の一部をさす言葉の存在が、「手」という言葉ではなくとも、気になります。ただし、37のように動物であれば「瞳」でも大丈夫でしょう。

うつつなに聴く庭の囀り　19

この歌仙では表五句目に

前栽の松にかかれる望の月

という「庭」の句がすでに出ていました。ただし、45のように学校の庭であれば前栽とは感じが異なるのでよいでしょう。

それでは予選通過の句に移りましょう。その中でまず人間が出てくる（あるいはそうみなせる）句、つまり前句から「その人」を考えた句で、しかも自分自身の句は次の20～28でした。

うから集いてかこむ雛膳　20
○鶯餅の粉に噎(むせ)せつつ　21

○哀愁ぴたと閉じてうららか　22
縁の日射しに心あたたか　23
同窓会の尽きぬ日永さ　24
○卒業式の記憶あらたに　25
○進路狂いて卒業の歌　26
座右の銘を称しうららか　27
釣釜かけて憩うひととき　28
この中で26は一種の狂体の句です。

「その人」を考えた句の中で他人の句とみなすことが出来るのは次の三句でした。
五つ子の輪に草餅の皿　29
雛膳前に並ぶ友達　30
闘牛盛ん熱気むんむん　31

予選通過の句の中で人間が登場しないとみなせる（あるいはそう考えられる）句、つまり前句から「その時」あるいは「その場」を考えた句は次の32〜52でした。
餌をねだりて子猫まつわり　32
風もみえぬにゆるるぶらんこ　33
流氷を追う満席の船　34
○銀器のチョコの減らぬ永き日　35
蛇穴を出で戸惑いていし　36
○何と綺麗な若駒の瞳よ　37
○昼をひそかに亀の鳴く声　38
このごろとみに囀りのふえ　39
もつれあいつつ視野離れゆく蝶　40
○幻のごとよぎる初蝶　41
しおる万葉蝶の色紙　42

美事な刺しゅう黄蝶白蝶　43
○窺うように来ては去る蝶　44
○暮れかねている学園の庭　45
田楽茶屋の大きへっつい　46
芝火めらめら拡がりてゆき　47
句碑をめぐれる陽炎の絲　48
霞の中の殷々の鐘　49
大正琴の調べうららに　50
さしこむ日差しいつか暖か　51
長閑に流る白い浮雲　52

さて、ここでは前句の「形見」の捉えかたと、次が花の句（花の定座といいます）であることが難しい所なのです。つまり単に「形見」の感覚だけに着目しても面白くありませんし、かといって次の花の存在を無視しても駄目です。その点○印の句はその両者をうまく捉えているようですね。そこでここでは、41を治定することにしましょう。

幻のごとよぎる初蝶

形見となったアルバムを眺めていて、ふと目をそらすと、初蝶がよぎったのです。そこに形見の人の幻を感じたのです。

次は花の定座（長句）です。またその花の句を「匂いの花」といって、正式俳諧では、ここで香を焚くといった名誉ある場所なのです。

三十五　名残裏五句目

名残裏三句目　アルバムの形見となりしこのページ
名残裏四句目　幻のごとよぎる白蝶

さて名残裏五句目の治定にとりかかりましょう。ここは前にも述べましたように、二個所ある歌仙の花の場の二番目の所で、名誉があり「匂(にお)いの花」とも呼ばれているのです。座に地位の高い方や珍客がいる場合、ここの花の句を作っていただくこともあります。「花を持たせる」という言葉はここからきています。

花の雲世界遺産の奈良京都　1
京都御所花の大樹にとりまかれ　2

地名はかなり離れていて、それが前の地名と全く違った所であれば、二個所あってもよいのですが、この歌仙では裏七句目に

はんなりと葵祭の昼の月

と京都を詠んだ句が出ていました。

公園の花の蕾もほころびて　3
町工場すっぽり花につつまれて　4
匂いたつ万朶の花を仰ぎ見る　5
花の山新入社員むしろしき　6
見上げればうすずみ桜盛りなる　7

この歌仙では、近くに

粧える故山（こざん）の旅に寧（やす）らぎて
（名残裏一句目）

橋のたもとで母が手を振る
（同二句目）

アルバムの形見となりしこのページ
（同三句目）

と「て」留め、「る」留め、「山」・「見」の字が使用されていました。発句や近くの句にある字や留め字は遠慮した方がよいのです。

新世紀花のつぼみは夢抱き　8

この句は名残表七句目の

舞う雪に西紀二〇〇〇はすぐそこへ

と似た発想ですね。「紀」の字もあります。

膝交え下戸も上戸も花の宴　9

この句は名残表十二句目の

賢治の醸（かも）す葡（ぶ）ん萄酒（どしゅ）に酔い

という酒（葡萄酒）の句に近いようです。

夫（つま）が押す花野にゆるり車椅子　10

「花野」は秋の季語ですし、連句で花といえば、普通は桜の花のことです。

落花霏々（ひひ）浴びて思い出果てなきに　11
たまゆらのいのちを遊び散る花よ　12
散りしきる花の命は短くて　13
落花霏々（ひひ）愁いの雲の流れゆき　14
希わくは花の褥（しとね）に眠りたし　15

これらの句には打越の「形見」の感覚がみられます。つまり、無常の感じがあって、その感覚の観音開きになります。もっとも、15は作者の意図はそうではないのかも知れ

ませんが、西行（さいぎょう）の有名な和歌

　願はくば花の下にて春死なむ
　　その如月の望月のころ

と似ていて、わずかですが無常感があるようです。また、11は前の春の場の

　シャボン玉吹き還す遠き日（裏十二句目）

の、過去を思い出している句と似ていますね。

　夕まけて小股で急ぐ花の下　16
　袖に花また花とまり足とまり　17

これらの句の「小股」「足」という字は、三句前の「手」という身体の一部を示す句の存在が気になります。

それでは予選通過の句に移りましょう。

その中でまず人間が出てくる（あるいはそうみなせる）句、つまり前句から「その人」を考えた句は次の18〜24でした。

　五分咲きの花に明日（あした）の夢を馳（は）せ　18
　喜寿迎う恩師囲みて花の茶屋　19
○碑に佇（た）てば花ひとしきり舞いやまず　20
　散り急ぐ花を惜しみて去りがたく　21
○花咲きて散りて尽（つ）きざる詩心（うた）　22
○秘められしもの尋ね入る花の奥　23
　輪になってはしゃぐ子供ら花の下　24

予選通過の句の中で人間が登場しないとみなせる（あるいはそう考えられる）句、つまり前句から「その時」「その場」を考えた句は次の25〜50でした。

　吹く風に万華鏡（ばんかきょう）めく花の塵　25

天覆い延々続く花の道 26
花あふれ新入生を待つ校舎 27
花びらを置きてそのまま朱塗膳 28
○源平の戦場跡に落花霏々 29
○花人に門戸を開く大使館 30
○連句碑にかかる落花のとめどなく 31
○うす紅の花まだ固き奥御殿 32
○光りつつ句碑守る花の散り初めし 33
○城跡に落花散りしく昼下がり 34
○幾世経し毛利の城址花ざかり 35
○花万朶古城の跡を彩どりし 36
○名にし負う城址の桜ちらほらと 37
○爛漫の花にあでやか花の精 38
花吹雪幸せ匂う風の色 39
鐘の音のにぶくひびきて花曇り 40

うらうらと万朶の花の咲きそろう 41
森閑と花もまばらな昼下がり 42
彩増してほころび初めし花大樹 43
ようやくに初花匂う暖かさ 44
いつの世もなべて美し花万朶 45
精進の実りし花の絢爛と 46
○夢秘めて花の蕾はふくらめる 47
花あふれ華やぎ匂う紅枝垂 48
このあたり浮世に遠き花万朶 49
薄墨の樹齢を重ね花吹雪 50

さて、ここの花の句は当然前の花の句

(裏十一句目)

煙吐きてD51走る花の中

と違った感覚あるいは景色でなければなりません。その点、予選通過の句はそれぞれこのことを考えているようです。また、この難しい点は前句の「幻」の捉え方でして、前にも述べましたように打越の「形見」に戻る危険があるのです。ここでは22を治定することにしましょう。

花咲きて散りて尽きざる詩心

白蝶がひらひらと舞っています。それは花が咲いて、そして散っている間も詩情は高ぶるのです。まさに幻のようにです。

次はいよいよ歌仙の最後の句、揚句（挙句）です。はじめに述べましたように、歌仙には名のある句が四つあります。すなわち、発句（出発の句）、脇（二番目の句）、第三（三番目の句）、そして揚句（最後の句）です。「あげくの果て」という言葉はここからきています。揚句は連句一巻の終りですから、穏やかにそして後をひかないように作ることが必要です。そして歌仙の本質が「三十六歩かえる心なし」と、どんどんと変化を追い続けてきたのですが、それではどこで終りになるのでしょう。このままではエンドレスになります。そこで揚句は発句と何らかの感覚で一脈通じることがよいのです。

それではその揚句（春の短句）を作ってください。

三十六　揚句（挙句）

名残裏四句目　幻のごとよぎる白蝶
名残裏五句目　花咲きて散りて尽きざる詩心

さてこの歌仙も最後の句、揚句の治定にとりかかりましょう。前に述べましたように、揚句は一巻の終りですから穏やかに、そして後を引かないように作ることが要求されています。また前に述べましたように、何かの感じで発句と照応して、この歌仙を大団円としたいのです。そこで度々指摘してきましたように、この歌仙では揚句であれば発句の海あるいは湖の景色に対応した内容でもよいのです。

霞の裾をまとう連山　1
野末の春は遠き故里　2

この歌仙では、近くに

粧える故山の旅に寧らぎて
（名残裏一句目）

と「山」・「故」の字が使用されていました。発句や近くの句にある字や留め字は遠慮した方がよいのです。

百囀りは汐騒のごと　3

漢字・留め字ではありませんが、打越の句に「幻のごと」と「ごと」という表現が用いられています。

祇園精舎にかすむ鐘声　4

この句には無常感があります。そこで三句前（大打越）の

アルバムの形見となりしこのページに近い感覚を持ってしまいます。

望み大きく土筆野を行く　5

この句の「土筆野」は地理の季語とみなせないでもありませんが、歳時記の上では植物の季語として登録されています。そうなると、花の句の次の句としては、植物の句が続くことになります。付句では同じ季節であれば、季語を二つ使用してもよいのですから、ここにたとえば春の天文なり時候なりの季語を組み合わせばよかったのではないでしょうか。

春の岬に集う人々　6

雲に問いたきシベリアの春　7

わが春愁の雲はひねもす　8

過ぎゆく春を惜しむひととき　9

師の春愁の句碑のまぶしく　10

波おだやかに春は暮れゆく　11

「春」「夏」「秋」「冬」といった四季の字は印象が深いので、なるべく一個所だけにしておいたほうがよいのです。「春」という字はすでに

藁屋しっとりつつむ春雨（裏十句目）

に出ていました。

それでは予選通過の句に移りましょう。

その中でまず人間が出てくる（あるいはそうみなせる）句、つまり前句から「その人」を考えた句は次の12~25でした。

○夢を託して放つ風船　12

「季寄せ」離せぬ千金の夜　13

囀りたかく満つる幸せ　14

うららな径をひたに歩まん　15

見わたす限り麗かな昼　16

湖畔にて聞く霞む鐘の音(ね)　17

はればれと立つ風光る丘　18

師をかこみたる句座は麗か　19

岸辺のどかに童遊べる　20

北窓開き眺む雲ゆき　21

○ロマンの道を行けばうららか　22

○霞の奥にロマン追いつつ　23

机辺(きへん)に愛(め)ずるうす紅の貝　24

野に遊びてはしばし微睡(まどろ)む　25

予選通過の句の中で人間が登場しないとみなせる（あるいはそう考えられる）句、つまり前句から「その時」「その場」を考えた句は次の26~43でした。

○湖面をはしる暖かな風　26

池のたもとにゆるるふらここ　27

遅日(ちじつ)の雲が淡くただよう　28

フィナーレ高くひびく雉笛(きじぶえ)　29

西に東に囀りの声　30

○陽炎ゆれるまほろばの里　31

○ロマン誘(いざな)う陽炎の道　32

陽炎燃ゆるひとすじの道　33

生気溢れて暮れかぬる苑　34

うららにひびく教会の鐘　35
浮き雲に載り麗かな昼　36
光遍き丘は麗か　37
○寄せては返す波の麗か　38
風暖かき俳諧の丘　39
○四海穏やか千金の宵　40
長閑に暮るる峡の村々　41
○ロマン掲げて長閑なる航　42
○長閑にかすむ沖の島々　43

いよいよ揚句の治定にかからなければならなくなりました。前に述べた揚句の性格を考えると○印の句は捨て難いのです。その前に、これまで毎回付句を投句された方々に敬意を表しましょう。この歌仙は付勝歌仙ですから、毎回投句された方々でも治定されなかった方が多いのです。私は、治定されるよりも毎回作り続ける方に意義があると考えています。さて、ここでは31を治定することにします。

陽炎ゆれるまほろばの里

日本文学の伝統を踏まえた花の句に対して、ゆらゆらと陽炎がゆれる「まほろばの里」（ゆかしい里）と応じています。そして発句の「寒凪」という静かな景色にも感覚的に通じるものがありますね。これで目出度く満尾です。「あげくの果て」ですね。

次に、この歌仙「寒凪の巻」に作者名を入れて記しておきましょう。

寒凪の巻

寒凪は一鳥抱きて碧濃(あお)くす　　磯　直道
網を繕う着ぶくれの爺　　永見　徳代
趣味の絵が思いもかけず入賞し　　山澤カツ子
葉巻の薫る古き草堂(そうどう)　　木村　幹
前栽(ぜんさい)の松にかかれる望の月　　青山　瑛子
団栗にぎり眠る幼な児　　堀内　一子

ウ

ひやひやと和尚の読経長びける　東浦　佳子
　盲導犬の身じろぎもなく　吉田　悦子
コンサート開演前の静もりに　渡辺ハツヱ
　会釈をされし殿下妃殿下　神尾千津子
お見合の彼は凛々しい儀仗兵　吉池　保男
　朱(あか)い衣桁(えこう)に掛けし白無垢(むく)　佐藤ゑつ子
はんなりと葵祭の昼の月　岩垂　道子
　年季入りたる鱧(はも)の骨切り　駒村多賀子
極道の果ては他国に流れ住み　吉田　絹子
　藁屋しっとりつつむ春雨　清水　福子
煙(けむ)吐きてD51走る花の中　矢崎　妙子
　シャボン玉吹き還す遠き日　井上　弥生

ナオ　よみがえる命ドナーのお蔭にて　　白石喜代子

天井うずめ下がる折鶴　　小谷　伸子

語り部の声とぎれたる風の音　　木部八千代

古傷をさす恋の遍歴　　松田千佐代

ミス庶務課経理課長と結ばれし　　堀内　一子

街路樹はみな裸木となり　　仁杉　とよ

舞う雪に西紀二〇〇〇はすぐそこへ　　桑原百合子

覚悟はよいかさあ御参(ござん)なれ　　永雄もりえ

碁敵が膝を打ちつつ待つ座敷　　飯沼しほ女

からくり時計踊る活惚(かっぽれ)　　矢崎　硯水

月明り魑魅魍魎(ちみもうりょう)は息ひそめ　　山口　安子

賢治の醸(かも)す葡(ぶ)ん萄酒(どしゅ)に酔い　　木村　幹

三十六　揚句（挙句）

ナウ

粧える故山（こざん）の旅に寧（やす）らぎて　河合　澄江

橋のたもとで母が手を振る　佐渡谷ふみ子

アルバムの形見となりしこのページ　稲垣　治子

幻のごとよぎる白蝶　佐藤ゑつ子

花咲きて散りて尽（つ）きざる詩心（うた）　渡辺　梅子

陽炎ゆるるまほろばの里　小野　良子

終りに

これまで連句の中の歌仙形式の作り方・楽しみ方を述べてきました。しかし、これはあくまでも私達の考えでの作品であって、多くの連句グループの中には、違う考えで歌仙を巻く場合もあるのです。

京都の嵯峨に芭蕉の高弟であった去来の落柿舎があります。ここは芭蕉を始めとして蕉門の人々が立ち寄った所です。ここに、この家での規則が『制札』として掲げられてありました。その第一は

「我家の俳諧にあそぶべし。
　世の理屈をいふべからず。」

です。つまり「自分達の連句を楽しむこと。他人の句や他のグループの付句および連句作品についてとやかく批判しないこと。」ということです。この考え方を大切にしましょう。

したがって、本書の考えを他人に押し付けるつもりは全くありません。別な考え方の捌きの席に連衆として参加した場合は、その捌きの方の考えに従って、楽しく巻いていきま

しょう。

最後に、ご多忙の中を本書のために楽しい挿絵を描いて下さった、三笑亭笑三師匠にお礼を申し上げます。たまにですが、師匠も私達と一座して連句を楽しんでおられます。

付録（一）　歌仙以外の連句の諸形式

一　三つ物(みつもの)

発句・脇・第三の三句。通常、歳旦等の祝いとして作る。

二　半歌仙(はんかせん)

十八句。表六句（五句目月）、裏十二句（八句目あたり月、十一句目花）。

三　十八公(じはっこう)

十八句。表十句（九句目月）、裏八句（七句目花）。

四　短歌行(たんかこう)

二十四句。表四句、裏八句（一句目月）、
名残表八句（七句目月）、名残裏四句（三句目花）。

五　世吉(よよし)

四十四句。表八句（七句目月）、裏十四句（九句目月、十三句目花）、名残表十四句（十三句目月）、名残裏八句（七句目花）。

六　五十韻（ごじゅういん）

五十句。表八句（七句目月）、裏十四句（九句目月、十三句目花）、名残表十四句（十三句目月）、名残裏十四句（九句目月、十三句目花）。

七　七十二候（ななじゅうにこう）

七十二句。初折（しょおり）表八句（七句目月）、初折裏十四句（九句目月、十三句目花）、二折（にのおり）表十四句（十三句目月）、二折裏十四句（九句目月、十三句目花）、名残表十四句（十三句目月）、名残裏八句（七句目花）。

八　百韻（ひゃくいん）

百句。初折表八句（七句目月）、初折裏十四句（九句目月、十三句目花）、二折表十四句（十三句目月）、二折裏十四句（九句目月、十三句目花）、三折表十四句（十三句目月）、三折裏十四句（九句目月、十三句目花）、名残表十四句（十三句目月）、名残裏八句（七句目花）。

その他、八十八興（はちじゅうはちこう）（八十八句）、易（えき）（六十四句）、源氏（げんじ）（六十句）、長歌行（ちょうかこう）（四十八句）、二十八宿（にじゅうはちしゅく）（二十八句）、箙（えびら）（二十四句）、胡蝶（こちょう）（二十四句）、非懐紙（ひかいし）（十八〜二十四句）、二十韻（二十句）、居待（十八句）、首尾吟（十六句）、ソネット（十四句）、歌仙首尾（十二句）、表白（十四句〜十二句）、裏白（八句〜六句）等、多くの形式がありますが、ここでは省略します。

索　引

著者略歴

昭和十一年二月二十六日東京で生まれる。

【学歴】　昭和二十九年三月都立上野高等学校卒業、昭和三十三年三月明治大学農学部卒業、昭和三十九年東京教育大学大学院理学研究科博士課程修了（理学博士）。

【職歴】　昭和四十三年四月明治大学専任講師、昭和四十五年十一月東京水産大学助教授、平成二年三月同学教授。現在同学名誉教授。

【俳歴】　昭和二十七年俳諧草茎社主宰宇田零雨先生に師事、草茎同信。昭和五十一年草茎川口支部代表。連句協会顧問。零雨先生ご逝去後、先生の掲げられた「叙情詩としての俳句・現代連句の復興」の旗印を継承して、平成九年一月俳諧くさくき社主宰。

句集・『思索の道』（昭和三十三年）、草茎川口支部『白百合』（昭和六十二年）、草茎川口支部『続白百合』（平成八年）、東京教学社『句集　東京の蛙』（平成十年）、朝日新聞社『句集　初東風』（平成十四年）

連句集・『三吟土筆野』（昭和六十二年）、『草茎脇起歌仙集』（平成二年）、『鍋奉行』（平成五年）、『葉月会連句集』（平成五年）、『去年今年』（平成五年）、『続葉月会連句集』（平成八年）

【現住所】〒三三二—〇〇二三　川口市飯塚四—四—七
電話・ＦＡＸ　〇四八—二五一—三〇三三

連句って何
――歌仙実作入門――

二〇〇一年十二月初版発行
二〇一一年十一月二版発行

著者　磯　直道

発行者　鳥飼正樹
発行所　郵便番号一〇一―〇〇六一
東京都千代田区三崎町二―一〇―五
株式会社　東京教学社
電話　〇三―三二六三―〇六七一（代表）
振替　〇〇一五〇―二―六六一六八
印刷・製本　科学図書印刷

ISBN978-4-8082-8080-2　C3092